Daniel Smith

A MENTE DE STEPHEN HAWKING

A genialidade de um dos pensadores mais extraordinários do mundo

São Paulo
2016

UNIVERSO DOS LIVROS

Diretor editorial: Luis Matos
Editora-chefe: Marcia Batista
Assistentes editoriais: Aline Graça e Letícia Nakamura
Tradução: Francisco Sória
Preparação: Monique D'Orazio
Revisão: Giacomo Leone Neto e Carla Bitelli
Arte: Francine C. Silva, Valdinei Gomes e Cristiano Martins
Ilustração e capa: Marcos Mazzei

Dados Internacionais de Catalogação na Publicação (CIP)
Angélica Ilacqua CRB-8/7057

S646m

Smith, Daniel
A mente de Stephen Hawking: a genialidade de um dos pensadores mais extraordinários do mundo/Daniel Smith; tradução de Francisco Sória. – São Paulo: Universo dos Livros, 2016.
224 p.

Bibliografia
ISBN: 978-85-503-0061-0
Título original: How to think like Stephen Hawking

1. Hawking, Stephen, 1942- 2. Físicos – Inglaterra – Biografia 3. Esclerose lateral amiotrófica – Pacientes 4. Cosmologia I. Título II. Sória, Francisco

16-1082 CDD 530.092

Universo dos Livros Editora Ltda.
Rua do Bosque, 1589 – Bloco 2 – Conj. 603/606
CEP: 01136-001 – Barra Funda – São Paulo/SP
Telefone/Fax: (11) 3392-3336
www.universodoslivros.com.br
e-mail: editor@universodoslivros.com.br
Siga-nos no Twitter: @univdoslivros

Para Rosie e Lottie.

SUMÁRIO

INTRODUÇÃO

"Seu nome viverá nos anais da ciência; milhões de pessoas tiveram seus horizontes cósmicos ampliados pela leitura de seus livros, e outras tantas ao redor do mundo se inspiraram por seu exemplo único de conquista e superação contra todas as probabilidades – uma manifestação incrível de força de vontade e determinação."

MARTIN REES, *NEW STATESMAN*, 2015

STEPHEN HAWKING é, simplesmente, o cientista mais famoso no mundo hoje. Só Einstein poderia alegar ter atingido tal nível de fama em sua própria época, mas, considerando o desenvolvimento posterior da comunicação em massa, a notoriedade de Hawking o eclipsa. Diagnosticado com a doença degenerativa esclerose lateral amiotrófica (ELA, também conhecida como doença dos neurônios motores) enquanto ainda era um estudante, Hawking está confinado a uma cadeira de rodas há várias décadas. Hoje, ele batalha para manter o simples controle muscular necessário para contrair a bochecha. Apesar disso, sua mente floresceu, iluminando os cantos mais sombrios do universo. Desde a publicação de *Uma breve história do tempo*, em 1988, ele se envolve com o público leigo de uma forma que nenhum outro cientista – vivo ou morto – jamais chegou perto de repetir.

Ele tem aumentado exponencialmente nossa compreensão sobre o funcionamento de buracos negros e, dessa forma, jogado luz sobre as origens do universo. De fato, ele nos aproximou diversos passos da resposta à pergunta cabal da ciência: de onde viemos? Suas investigações sobre as circunstâncias do Big Bang – evento cosmológico amplamente aceito como o princípio do universo – motivam-nos a reavaliar tudo o que pensávamos saber. Suas teorias radicais desafiaram não apenas a ortodoxia científica, mas nos desafiam a reconsiderar princípios fundamentais tais como a natureza do tempo e o conceito de Deus.

Alguns analistas sugerem que a fama de Hawking nublou nossa percepção da dimensão de seus feitos. Em verdade, Hawking não é um "Cavaleiro Solitário", mas alguém que trabalhou em colaboração com inúmeros cientistas altamente talentosos de sua geração, na era de ouro da Cosmologia. Se ele era o único talento verdadeiro de sua geração ou simplesmente membro da "elite da elite", isso não vem ao caso. Podemos nos perguntar se Alexandre, o Grande, foi maior que Napoleão, ou se Pelé foi melhor que Maradona. Sempre haverá gente para defender um dos lados, mas nunca chegaremos a uma resposta definitiva nessas discussões. Basta dizer que Hawking redesenhou o cenário científico e que sua influência seguirá pelo futuro. Sua carreira é, em todos os sentidos, estelar.

No imaginário popular, ele será para sempre o gênio aprisionado em seu corpo que definha pouco a pouco. Isso preenche nosso desejo de uma narrativa romântica que acompanhe a ciência. Um homem abençoado com uma mente extraordinária, porém traído por seu corpo. Em sua superação de todas as perspectivas médicas – poucos profissionais acreditavam que ele chegaria aos trinta anos, que dirá aos setenta –, sua história é trágica e heroica. Sua desventura mexe com nossos corações e nos enche de esperanças de que tudo realmente pode ser possível. Em suas francas palavras, "ninguém resiste à ideia de um gênio aleijado".

Apesar disso, a verdade sobre Hawking não se encaixa em uma narrativa novelesca. Seu intelecto coexiste com uma personalidade complicada que exige da sociedade repensar como rotulamos os "deficientes". Tal como seu antecessor, o físico teórico Albert Einstein, ele não é só um exemplo de cientista, mas de humanista. Faz campanha nas mais diversas plataformas, como sobre o desarmamento nuclear, como a respeito dos direitos dos deficientes e da paz no conflito árabe-israelense. Por outro lado – e isso também é um fator em comum com Einstein –, sua vida particular foi por vezes tórrida.

Dois casamentos e três filhos são prova de que o amor e os relacionamentos são componentes vitais. No entanto, sua ambição e comprometimento com o trabalho – aliados a uma conjuntura desfavorável – deixaram vítimas pelo caminho.

Até mesmo sua ELA representa um paradoxo de certa forma. Enquanto por um lado, é desnecessário dizer, a doença afetou sua qualidade de vida no dia a dia, foi o diagnóstico, na casa dos vinte anos, que deu a partida em sua carreira. Em vista da perspectiva de morte prematura, ele abraçou as oportunidades oferecidas por seus talentos com uma paixão e obstinação que ainda não havia demonstrado. De certa forma, é como se a doença tivesse libertado sua imaginação intelectual. Hawking se apegou às palavras de Jean-Dominique Bauby, autor de *O escafandro e a borboleta*, que documentou sua vida após um derrame que lhe deixou vítima da síndrome do encarceramento (condição que ele chamava de seu "escafandro"): "Meu escafandro se torna menos opressivo, e minha mente voa como uma borboleta."

Deixando um pouco de lado a ciência, algo por vezes proibitivo, vemos Hawking emergir como uma figura que se permitiu sonhar coisas extraordinárias e foi abençoado com um intelecto único que lhe permitiu dar sentido a esses sonhos. Ele pode ser brilhante e sábio, assim como pode ser irascível e difícil. Por trás de tudo isso, um desejo inabalável de buscar o sentido do cosmo em que habitamos, uma paixão pelo conhecimento, a qual nem o azar nem o tempo (de qualquer forma que você entenda) puderam afastar. Considere suas palavras de 2013, quase as de um Peter Pan: "Lembre-se de olhar para as estrelas no céu e não para seus pés no chão. Tente dar sentido para o que vê e mantenha o fascínio infantil sobre o que faz o universo existir."

É importante marcar agora, a esta altura, que o objetivo deste livro *não* é esmiuçar as teorias científicas de Hawking, ele mesmo já passou décadas sintetizando seu trabalho para ser mais bem compreendido por um público amplo. Acreditar que eu teria mais sucesso em explicar o conceito de tempo imaginário do que o próprio Hawking seria um gesto de extrema arrogância. Se nem todos os seus escritos populares são acessíveis de imediato, isso é mais um reflexo da imensa complexidade do material estudado do que da pouca capacidade como comunicador. Em resumo, se quiser um guia rápido do trabalho da vida de Hawking, vá à própria fonte (começando por *Uma breve história do tempo*).

A mente de Stephen Hawking tem como objeto o homem por trás da ciência e para além da celebridade. Apesar de fazer referências necessárias à ciência nas páginas a seguir, meu objetivo é explorar a personalidade do cientista, como ele construiu sua carreira, o que o motiva e inspira. Espero que este livro ajude a esclarecer a figura que se tornou o epítome da ciência em nosso tempo, e que também representa algumas das facetas do que é ser humano.

MARCOS DE UMA VIDA IMPRESSIONANTE

1942 – Stephen William Hawking nasce a 8 de janeiro, em Oxford, Inglaterra, filho de Frank e Isobel Hawking. A família retorna para seu lar, ao norte de Londres, após o fim da Segunda Guerra Mundial.

1950 – Os Hawking se mudam para St. Albans, a cerca de 30 km ao norte de Londres.

1953 – Hawking conquista uma vaga na St. Albans School. No último ano, é aceito para estudar na Universidade de Oxford, instituição na qual seu pai também estudara.

1959 – Começa a graduação em Ciências Naturais na Universidade de Oxford.

1962 – Completa a graduação com louvor. Hawking vai então para a Universidade de Cambridge a fim de iniciar seus estudos de pós-graduação em Cosmologia. Lá conhece sua futura esposa, Jane Wilde.

1963 – É diagnosticado com esclerose lateral amiotrófica (ELA).

1964 – Assiste a uma palestra do matemático de Birkbeck, Roger Penrose. As teorias de Penrose sobre singularidades foram de grande influência para Hawking.

1965 – Hawking e Jane Wilde se casam.

1966 – Ao completar seu doutorado, é convidado a lecionar na Faculdade Gonville and Caius, de Cambridge. Hawking inicia sua pesquisa em singularidades e buracos negros, trabalhando com Roger Penrose.

1967 – Jane Wilde Hawking dá à luz um filho, Robert.

1969 – A ELA de Hawking piora, obrigando-o a utilizar uma cadeira de rodas.

1970 – Ele reporta que, de acordo com as regras da Teoria da Relatividade, de Einstein, o universo pode ter emergido de uma singularidade. Jane Hawking dá à luz o segundo filho do casal, uma menina, Lucy.

1971 – Hawking demonstra como o horizonte de eventos de um buraco negro se expande com o tempo. No mesmo ano publica, em coautoria com Brandon Carter, o teorema da calvície.

1973 – Junta-se à equipe do Departamento de Matemática Aplicada e Física Teórica de Cambridge. Publica *The Large Scale Structure of Space-Time*[1] em parceria com o físico e matemático inglês George Ellis. Ele também é o autor das quatro leis da mecânica de buracos negros.

1974 – Publica um artigo na revista *Nature* intitulado "Black Hole Explosion" ("explosão do buraco negro"), em que apresenta ao mundo a teoria que lhe proporcionou notoriedade: a radiação Hawking. É nomeado professor de Física Gravitacional em Cambridge.

1975 – Hawking se muda com a família para os EUA, a fim de trabalhar no Instituto de Tecnologia da Califórnia (Caltech). Lá conhece o físico teórico norte-americano Kip Thorne, o qual vai se tornar um grande colaborador e amigo. Nessa época, é laureado com a Medalha Pio XI de Ciência, concedida pelo Estado do Vaticano.

1977 – Hawking e o físico teórico inglês Gary Gibbons desenvolvem um sistema revolucionário de gravitação quântica euclidiana.

1978 – Hawking recebe a Medalha Albert Einstein, concedida pela Sociedade Albert Einstein, de Berna (Suíça).

1979 – É nomeado para a prestigiosa cátedra de professor lucasiano em Matemática, em Cambridge, posto outrora ocupado por Sir Isaac Newton, Charles Babbage e Paul Dirac. Também é

1 "A estrutura em grande escala do espaço-tempo", não editado no Brasil. (N.E.)

escolhido para integrar a Real Sociedade. Jane Hawking dá à luz um terceiro filho, Timothy.

1982 – É nomeado comandante da Ordem do Império Britânico.

1982 – Hawking publica a teoria da ausência de fronteiras, em parceria com James Hartle, por meio da qual descreve como o universo pode ter emergido do nada.

1985 – Quase morre, vítima de um ataque de pneumonia, enquanto visitava a Organização Europeia para a Pesquisa Nuclear (CERN), na Suíça. Passa por uma traqueostomia que o impede de falar de forma natural.

1987 – É agraciado com a Medalha Paul Dirac, concedida pelo Centro Internacional de Física Teórica de Londres.

1988 – Seu livro popular de ciência, *Uma breve história do tempo: do Big Bang aos buracos negros*, é publicado e se torna um clássico instantâneo, batendo recordes de vendas.

1989 – É integrado à Ordem dos Companheiros de Honra.

1990 – Hawking se divorcia da esposa, Jane, e vai morar com a antiga enfermeira, Elaine Mason.

1993 – Publica *Buracos negros, universos-bebês e outros ensaios*. Hawking divulga detalhes de sua pesquisa com o físico britânico John Stewart sobre as singularidades do raio. Além disso, torna-se a primeira pessoa a interpretar a si mesmo em *Jornada nas estrelas*, ao aparecer em *A nova geração*.

1995 – Hawking e Elaine Mason se casam.

1999 – Junta-se a outras figuras públicas proeminentes, incluindo o Arcebispo da Igreja Anglicana, Desmond Tutu, para promover uma Agenda para o Terceiro Milênio, que exige melhorias nos direitos dos deficientes. Faz aparições em *Os Simpsons* pela primeira vez.

2000 – A polícia investiga alegações de que Elaine Hawking estaria cometendo maus-tratos contra o marido. Nenhuma queixa foi prestada.

2001 – Publica *O universo numa casca de noz*.

2002 – Publica *Os gênios da ciência: sobre os ombros de gigantes*, bem como

A teoria de tudo: a origem e o destino do universo.

2003 – Hawking faz críticas ferrenhas à participação do Reino Unido na invasão do Iraque.

2004 – Admite publicamente ter perdido uma aposta feita com o físico norte-americano John Preskill sete anos antes, ao aceitar que informação pode escapar de um buraco negro.

2005 – Publicação de *God Created the Integers: The Mathematical Breakthroughs That Changed History*[2] e *Uma nova história do tempo*, o segundo em coautoria com o físico teórico norte-americano Leonard Mlodinow.

2006 – Hawking e o físico teórico belga Thomas Hertog propõem uma teoria de cima para baixo na Cosmologia. Hawking se divorcia de Elaine.

2007 – Hawking e sua filha Lucy publicam o primeiro de uma série de livros infantis ficcionais sobre ciência. O cientista funda o Centro de Cosmologia Teórica em Cambridge e faz um voo em gravidade zero na nave chamada "Cometa do Vômito".

2009 – Após trinta anos, aposenta-se como professor lucasiano em Matemática. É agraciado com a Medalha Presidencial da Liberdade por Barack Obama.

2010 – Publica *O grande projeto* com Leonard Mlodinow.

2012 – Hawking apresenta a cerimônia de abertura dos Jogos Paralímpicos, diante de uma audiência televisiva de milhões de pessoas.

2013 – Recebe o Prêmio Especial de Física Fundamental, no valor de 3 milhões de dólares. Publica *Minha breve história.*

2014 – *A teoria de tudo*, filme baseado na vida de Hawking, é indicado para o Oscar de Melhor Filme. Acabou vencedor na categoria de Melhor Ator, pela atuação de Eddie Redmayne no papel de Hawking.

2015 – Hawking acompanha o lançamento da Iniciativa Breakthrough, um programa que procura vida extraterrestre. Em uma palestra em Estocolmo, ele delineia sua nova teoria sobre como informação pode escapar de um buraco negro.

---

2 "Deus criou as integrais: inovações matemáticas que mudaram a história", não editado no Brasil. (N.E.)

SIGA SEU PRÓPRIO CAMINHO

"Se entender como o universo opera, você pode, de certa forma, controlá-lo."

Stephen Hawking, *Minha breve história*, 2013.

Desde tenra idade, havia claros indícios de que Stephen Hawking tinha uma inclinação para as ciências, mas ninguém poderia prever que ele se tornaria o cientista vivo mais famoso do planeta. Nasceu a 8 de janeiro de 1942, em Oxford, na Inglaterra, para onde seus pais Frank e Isobel haviam se mudado na esperança de escapar dos bombardeios alemães que castigavam Londres. Seus pais tinham laços com Oxford, tendo ambos estudado na famosa universidade – Frank se formara em Medicina, e Isobel, em Filosofia, Política e Economia.

Frank era especialista em doenças tropicais e conheceu sua futura esposa quando esta trabalhava como secretária-médica em Londres. Ele passou algum tempo no período pré-guerra alocado no Leste Africano, mas retornou ao Reino Unido no eclodir da Segunda Guerra Mundial. As autoridades consideraram que o doutor Frank poderia contribuir de forma mais significativa com a guerra prosseguindo com sua pesquisa médica, em vez de servir nas Forças Armadas.

DESTINADO À GRANDEZA?

Já foi apontado diversas vezes que Stephen nasceu no dia do 300º aniversário de morte do brilhante astrônomo italiano, Galileu Galilei. Para alguns, essa é uma coincidência bastante significativa, já para Hawking não significa nada, considerando que outros 200 mil bebês nasceram no mesmo dia, e a vasta maioria passou a vida sem sentir absolutamente nenhum efeito de sua "conexão" com Galileu. Significativo ou não, entre eles Hawking foi quem seguiu mais de perto os passos do cientista italiano.

Próximo ao fim da guerra, a família retornou para o subúrbio, na zona rural de Highgate, ao norte de Londres, onde viveram confortavelmente, sem extravagâncias. Sua família aumentou com a chegada da irmã, Mary, em 1943, seguida por Philippa, em 1947, e um irmão adotivo, Edward, em 1954. Nessa época, os Hawking já haviam se mudado para St. Albans, uma cidade histórica a 30 km ao norte de Londres. Pela semelhança de idade, Stephen e suas duas irmãs brincavam juntos, mas assim também floresceu certa competitividade. De fato, Stephen descreve Mary como uma criança mais esperta do que ele próprio. Ela, por exemplo, aprendeu a ler aos quatro anos; ele, aos oito. Hawking atribui a culpa do desenvolvimento relativamente tardio nesse aspecto à escolha de seus pais por uma escola progressista, a Byron House School, que evitava métodos tradicionais de aprendizado.

Embora não fosse tão apegado aos livros nessa fase, sempre se interessou por como as coisas funcionavam. Tinha praticamente uma obsessão por trens e estradas de ferro de brinquedo, juntando suas esparsas economias infantis para comprar um modelo elétrico (que funcionava, em seu triste relato, abaixo da expectativa). Quando entrou na adolescência, demonstrou similar paixão por modelos de barcos e aviões e devotou grande parte de seu tempo de lazer a criar modelos funcionais. Outro de seus passatempos era criar jogos de tabuleiro, a maioria extraordinariamente complicada. Um jogo de guerra, por exemplo, exigia um tabuleiro com alguns milhares de casas. De certa forma, Hawking criava miniaturas de universos que ele podia conhecer e controlar por completo. Em outras palavras, praticava em escala menor o que viria a ser o trabalho de sua vida.

A família Hawking promovia um ambiente que valorizava o

pensamento diferente. Os pais eram intelectuais ligados a uma certa vida boêmia. Isso talvez não fosse tão estranho em Highgate nos anos 1950, mas certamente o era no subúrbio de St. Albans (que Hawking descreveria mais para a frente como um lugar bastante austero). A família, por exemplo, passava os feriados em um trailer que mantinham perto da costa de Weymouth – até que as autoridades exigiram que o removessem de lá após muitos anos. Também passaram um ano viajando pela Europa e Ásia em um táxi preto antigo de Londres. Em outra ocasião, Isobel (cujo pensamento libertário a tinha envolvido com a Liga da Juventude Comunista anos antes) levou as crianças para visitar uma antiga amiga de escola na Espanha, que estava casada com o poeta Robert Graves. Stephen acabou partilhando um tutor com o filho de Graves por um verão.

Em 1951, era um assíduo frequentador do Festival of Britain, uma celebração do mundo moderno, por meio do qual o governo britânico esperava unir a nação na calmaria do pós-guerra. Para um jovem de St. Albans obcecado por modelos, aquilo era nada menos que uma revelação, que o apresentou a novas formas de arquitetura, bem como às últimas tendências da ciência e da tecnologia. Ao longo do tempo, ele se estabeleceu como membro central em um círculo de amigos na escola, que partilhavam de sua paixão pela ciência. Nesse grupo, foi apelidado de "Einstein". Os amigos discutiam questões que variavam desde como construir um avião controlado por rádio até como o universo começara e a existência ou não de um deus. Talvez não fossem as crianças mais legais da escola – magrelo, pouco atlético e com problemas de fala, Stephen era um modelo de jovem nerd –, mas eram certamente os mais brilhantes.

Na época de decidir o que gostaria de estudar na universidade, Hawking estava confiante de que seu coração pertencia à Física (a ciência "mais fundamental") e à Astronomia, temas que ele acreditava que o ajudariam a "desbravar as profundezas do universo". Foi uma decepção para seu pai, que esperava que Stephen seguisse seus passos na carreira médica, mas o jovem considerava a Física, de certa forma, uma área mais honesta e meritocrática do que a medicina. A esse respeito, muitos anos depois ele diria: "Nunca considerei minha falta de aptidões sociais um impedimento, mas penso que a Física é um pouco diferente da medicina. Na Física, não importa onde você estudou ou de que família vem. Importa o que você faz."

Os Hawking tinham se esforçado demais para promover o pensamento independente na família, de forma que o pai não deve ter ficado muito surpreso quando Stephen insistiu em estudar Ciências Naturais. O jovem Hawking acabou aceitando a escolha de seu pai pela Universidade de Oxford, onde ele mesmo havia se graduado. Assim, simultaneamente, Frank Hawking direcionou seu filho para o caminho da grandeza científica, e Stephen garantiu sua vontade com a convicção que o acompanharia a vida inteira. Frank não devia ter se preocupado, visto que Mary se tornaria médica em seguida, mantendo viva a tradição da família.

TALENTO NATURAL AJUDA...

"Minhas habilidades práticas nunca se compararam aos meus questionamentos teóricos."

Stephen Hawking, *Minha breve história*, 2013.

O ORGULHO DA FAMÍLIA HAWKING pelo próprio intelectualismo era percebido pelos visitantes da casa. Alguns, por exemplo, lembram-se de refeições tomadas pelo completo silêncio, e cada membro da família com o nariz enterrado em um livro a serviço de seu interesse particular.

Por crescer nesse ambiente, Stephen rapidamente se tornou um autodidata. A escola oferecia uma boa educação básica, mas ele começou a se interessar por áreas não cobertas pelo currículo convencional. O desejo de entender "como as coisas funcionavam", logo fez com que deixasse de montar e desmontar aparelhos para ruminar questões de profundidade científica que deixariam perplexas algumas mentes muito mais velhas e instruídas.

Nem todas as suas investigações tiveram sucesso. Na verdade, podemos considerar que, se tivessem sido bem-sucedidas, Stephen teria se cansado depressa delas. Iniciar projetos além de sua capacidade era um mero indicativo de que ele estava bem direcionado nos caminhos do que poderia alcançar. Além disso, conforme revelado pela citação no início deste capítulo, seu talento real residia (e reside) em executar uma ginástica mental, em vez de fazer demonstrações práticas dela. Se o jovem Hawking tivesse a intenção de construir um modelo de avião, você pode ter certeza de que estaria muito bem embasado pela mais brilhante ciência, ainda que o produto final não necessariamente se adequasse ao imaginado.

Era esse lado questionador que de fato o separava de seus pares na infância. Sua dedicação em ser o primeiro a resolver problemas que os outros não conseguiam permaneceu com ele ao longo de sua carreira. Conforme ele mesmo disse – de forma um pouco indelicada – em uma palestra em 2002 no Centro de Ciências Matemáticas de Cambridge: "Não há nada como o momento da eureca, de descobrir algo que ninguém sabia antes. Não vou comparar com sexo, mas dura mais."

Ele foi abençoado com memória naturalmente boa, um atributo que manteve e aprimorou quando sua deficiência se acentuou na vida adulta e o deixou ainda mais dependente da capacidade de funcionamento otimizado de sua mente. Entre seus pares acadêmicos, é conhecido, por exemplo, por sua habilidade de memorizar equações longas (podendo seguir por diversas páginas), com precisão absoluta. Ainda que seja possível treinar a memória para se tornar mais eficiente, é bem difícil alcançar o nível de Hawking sem ter uma memória base extraordinária sobre a qual construir.

Apesar disso, Hawking não dá muita atenção aos que esperam crédito simplesmente por terem nascido com um intelecto impressionante. Mérito e recompensa são resultados do que se faz com esse intelecto. Em outras palavras, não há muito valor em se decorar e recitar uma equação incrivelmente longa se você não souber manipulá-la para abrir as janelas do mundo. Da mesma forma, ele não valoriza a cultura da associação Mensa, que celebra a inteligência pela inteligência. Aos que se gabam por seu QI (quociente de inteligência – valor definido a partir de um teste padronizado), ele acusa de serem "perdedores", porém assume, diga-se de passagem, que espera que seu QI seja bem alto.

De toda forma, resta pouca dúvida de que Hawking nasceu "esperto" – fato que, conforme já dito, rendeu-lhe o apelido de Einstein por parte dos colegas. Felizmente para o mundo, Hawking percebeu que não se contentaria em ser esperto. Como veremos, suas ambições iam além de ser comparado a Einstein. Como praticamente todas as pessoas que mudaram o mundo, ele alimentava a ambição de deixar marcas reais no universo e veio a entender que não atingiria a grandeza pelo simples talento bruto.

...MAS NÃO É NADA SEM TRABALHO DURO E PERSEVERANÇA

"Passei a vida inteira sob o risco de morte prematura, por isso detesto perder tempo."

STEPHEN HAWKING, DISCURSANDO EM 2013, NO LANÇAMENTO DO DOCUMENTÁRIO *HAWKING*.

A JORNADA DE HAWKING, de um prodigioso intelecto natural ao teórico mundialmente renomado que conhecemos hoje, não foi sempre suave. Até começar a estudar para seu Ph.D, suas conquistas estavam abaixo da média. Seu apelido de escola indicava abertamente que o potencial estava ali, mas a verdade é que seu rendimento acadêmico na Universidade de Oxford foi abaixo do esperado.

Hawking passou no exame Eleven-Plus – avaliação amplamente usada no Reino Unido para determinar o tipo de escola de ensino médio que os alunos deveriam frequentar – e conquistou um lugar na respeitada St. Albans School, um centro tradicional para alunos com "altas habilidades". Foi imediatamente para o topo do meio acadêmico, mas não brilhou. Ao final do primeiro ano, seus resultados o colocaram em 24º de sua turma, escapando por pouco de ser rebaixado. O ano seguinte não foi muito melhor, culminando no 23º lugar, seguido pelo 18º no ano seguinte. Ainda que seus resultados se estabilizassem com o passar dos anos, ele raramente esteve acima da média da classe. Além disso, sua caligrafia problemática ajudava a reforçar a impressão, entre a maioria de seus professores, de que Hawking era um pouco preguiçoso.

No geral, eles estavam certos – de certa forma, pelo menos. Tal era a sofisticação de sua mente que ele achava a maior parte do que era ensinado pouco desafiador e, arriscaria dizer, entediante. Atingiu respeitáveis dez aprovações em nível O (nível O era o exame padrão para jovens de dezesseis anos na época), antes de estudar para o nível A (exames de nível avançado feitos dois anos depois) em Matemática, Física e Química.

Ele escolheu Física, apesar de considerar o conteúdo escolar fácil e óbvio. Era, Hawking percebeu, um mal necessário se ele desejasse seguir seu sonho de prosseguir com estudos avançados em Astronomia e campos correlatos. Essas eram as disciplinas que despertavam sua imaginação, pois lhe permitiriam se confrontar com as grandes questões do universo. Enquanto isso, foi um professor de Matemática chamado Dikran Tahta que surgiu como a única figura inspiradora da vida escolar de Hawking. Tahta, que acabaria sendo professor na Universidade de Exeter, tinha tamanha paixão pela matéria que acabou despertando o entusiasmo de Hawking. Ele oferecia um ambiente de debate e incitava seus estudantes a explorar verdadeiramente seus horizontes intelectuais. Em resumo, queria que seus pupilos libertassem a imaginação e não se limitassem a uma simples aprovação nas provas.

HAWKING, O ENGENHEIRO DE HARDWARE

Em vez de Matemática ou Ciências, um dos maiores sucessos de Hawking na faculdade resultou de suas atividades extracurriculares. A mais impressionante delas foi seu protagonismo em um grupo de estudantes entre dezesseis e dezoito anos que construíram um computador funcional (o Motor Computacional de Unisseleção Lógica), utilizando peças de uma central telefônica desativada. Nessa época, final dos anos 1950, quando ninguém, além de algumas instituições acadêmicas de peso e departamentos do governo, possuía tais máquinas, isso era um indicativo do potencial mental do nosso quase engenheiro.

É prova das capacidades brutas de Hawking, se não de seu comprometimento como estudante, que ele tenha sido aprovado com folga no exame de admissão da Universidade de Oxford com mais de noventa por cento. Apesar disso, enquanto era graduando na universidade, seu progresso continuou engessado pela crença de que o curso era simples demais, e isso o desestimulava a se esforçar. Segundo suas próprias contas, ele se dedicava apenas uma hora por dia aos estudos na universidade, o que é pouco até mesmo para um gênio.

Além disso, Hawking era mais novo do que a maioria de seus colegas, e muitos deles tinham passado pelo serviço militar. Como resultado, ele se sentiu solitário e isolado em sua passagem por Oxford, situação que tentou mudar entrando para o remo (ele era do tamanho ideal para o posto de voga). Ao se esforçar para ter uma vida social, a necessidade de se empenhar ficou ainda menor.

Em uma famosa ocasião, seu tutor, dr. Robert Berman, designou para Hawking e três outros estudantes uma série de treze problemas levemente complicados. Quando o grupo se reuniu duas semanas depois, os outros tinham respondido um ou dois cada. Hawking, por sua vez, só começou a trabalhar neles no dia de apresentar as respostas e conseguiu resolver nove problemas. Suas habilidades instintivas na matéria o ajudavam e permitiam que ele fosse aprovado com um mínimo de esforço.

Em 1962, quase no fim da graduação, Hawking estava no limite entre ser aprovado com honras de Primeira Classe ou Segunda Classe Avançada. Ao final, foi chamado para um *viva* (exame oral para os que estão no limite das notas), e, de acordo com sua própria narrativa sobre o caso, ele disse aos examinadores que se o aprovassem em Primeira Classe, ele os deixaria em paz e iria fazer seu Ph.D em Cambridge. No entanto, se ficasse no nível inferior, eles estariam presos com ele em Oxford. É claro, ele se formou como Primeira Classe. Berman sugeriu que o motivo foi menos tirar Hawking de Oxford e mais porque os examinadores "tinham inteligência o bastante para perceber que estavam falando com alguém muito mais inteligente que a maior parte deles próprios".

Então ele seguiria para Cambridge, embora nada indicasse que

Hawking estivesse mais perto de encontrar sua ética de trabalho. Em vez disso, havia razões para se pensar que continuaria acomodado. Como ele relataria no programa de rádio da BBC, *Desert Island Discs*, em 1992: "Era o fim dos anos 1950, e a maior parte dos jovens estava desiludida com a ordem social... Eu e a maioria dos meus contemporâneos estávamos entediados com a vida."

Então algo impressionante aconteceu. Hawking começou a levar as coisas a sério e a se ocupar. A força motriz por trás dessa reinvenção foi, como veremos no próximo capítulo, e já evidenciada na citação que principia este, o declínio de sua saúde: Hawking pensava que o tempo estava contra ele, por isso entrou em ação. Também devemos levar em conta a chegada de uma jovem chamada Jane Wilde em sua vida, que lhe motivava a explorar seus talentos ao máximo.

No campo profissional, Hawking conseguiu treinar uma linha de paciência excepcional atrelada a uma (confessamente tardia) autodisciplina – um feito deveras impressionante considerando a incerteza de quanto tempo ele viveria. Ao escolher abordar as questões mais fundamentais do nosso universo – problemas com respostas tão distantes – ele embarcou em uma carreira com pouquíssimos atalhos. O processo de formular perguntas, propor respostas hipotéticas e testá-las ao limite consome um tempo monumental; além do quê, na Cosmologia não existem evidências empíricas a curto prazo. Conforme disse ao jornal *The Guardian* em 2005, "não faz sentido ficar furioso quando se está empacado. O que eu faço é seguir pensando no problema, enquanto trabalho em outra coisa. Às vezes, leva anos até que eu veja o caminho a seguir. No caso da perda de informação e buracos negros, levou 29 anos".

Fazer o melhor possível foi uma crença que Hawking só começou a considerar verdadeiramente a sério depois dos vinte anos, mas se tornou um valor indiscutível em sua vida adulta. Em uma entrevista de 2011, novamente ao *Guardian*, foi questionado: "Então, aqui estamos. O que devemos fazer?". A resposta? "Devemos buscar o maior valor em nossas ações."

ENTENDA O PLANO MAIOR

"Eu via que ele ficava absorto nas estrelas."

Uma observação sobre o jovem Hawking por sua mãe, como citado no *Desert Island Discs*, em 1992.

A GRADUAÇÃO DE HAWKING em Oxford foi em Ciências Naturais, o que na prática queria dizer um monte de Física e Matemática. Ele mesmo admite ser mais um físico natural do que um matemático. No entanto, o seu chamado era para a Cosmologia, matéria central de seus estudos de pós-graduação em Cambridge. Mas o que a matéria de Cosmologia engloba e por que era tão atraente a Hawking?

Pode-se dizer que no começo de sua carreira, a Física era separada em dois campos distintos. De um lado, estavam aqueles determinados a desvendar os mistérios do universo em sua totalidade (os cosmólogos); do outro, aqueles cuja intenção acadêmica era observar o que acontecia em nível subatômico, o campo incipiente da mecânica quântica. A turma do "plano maior" e a galera dos "detalhes", por assim dizer. Então, havia aqueles que estavam determinados a unir essas duas disciplinas aparentemente tão opostas, dentre os quais Hawking é talvez o maior expoente de nossa época (seguindo uma tradição iniciada – e terminada em frustração – por Einstein). Isso é, naturalmente, uma enorme simplificação da situação, mas é assim descrita pelos historiadores da ciência do século XX.

Tais eram suas habilidades naturais que Hawking poderia ter escolhido estudar Física de Partículas em seu Ph.D, se assim o desejasse. No entanto, escolheu a Cosmologia, disciplina que estava entrando em uma era de ouro de desenvolvimento teórico, dada a renovação do interesse pela área. Seu surgimento era tão recente que Oxford ainda não oferecia tal curso.

Cosmologia, então, é o ramo da ciência que busca entender a estrutura, as leis e a evolução do universo, considerando tudo, dos elementos fundamentais à natureza do tempo e do espaço. Hawking lembra, em *Minha breve história*, que, quando começou seus estudos em Cambridge, a Cosmologia era um "campo negligenciado", o qual estava "maduro para se desenvolver". Nos anos 1920, o astrônomo norte-americano Edwin Hubble havia provado que as galáxias estavam se afastando, o que evidenciava a expansão do universo. Agora, a comunidade científica visava descobrir como tudo havia começado e como poderia acabar. Após anos de frustração pela ausência de desafios em seus estudos acadêmicos, Hawking agora tinha um assunto à altura com o qual se digladiar.

Esse era o tipo de ciência pura e ilimitada que despertava sua imaginação, e ele estava determinado a estar à frente, descobrindo as leis que pudessem explicar as estonteantes maravilhas de nosso universo. Uma oportunidade, podemos dizer, para a alquimia científica. Seu eterno amor pela ciência como ferramenta para tornar algo complexo compreensível foi revelado em 2011 em entrevista ao *Guardian*. "A ciência é bela quando torna simples as explicações de fenômenos ou as conexões entre diferentes observações. Temos como exemplo a dupla hélice na biologia, e as equações fundamentais da Física."

ENCARE O ABISMO

"Os buracos negros não são tão negros quanto pintam."

Stephen Hawking em uma palestra no K.T.H. Instituto Real de Tecnologia de Estocolmo, 2015.

Na raiz da fama de Hawking está o seu modelo teórico de buracos negros – áreas do espaço onde a gravidade é tão forte que nem mesmo a luz consegue escapar. A gravidade é muito forte nos buracos negros porque a matéria está condensada em um espaço diminuto – tipicamente quando uma estrela muito grande entra em colapso para se extinguir. As perspectivas para qualquer coisa que caia em um buraco negro não são boas. Hawking define o processo de extrema compressão e contorção que a matéria experimenta dentro de um buraco negro como "espaguetificação".

Os cientistas postulam a existência do que chamamos hoje de buracos negros desde o século XVIII, mas foi apenas em 1915 que o físico alemão Karl Schwarzschild demonstrou que a teoria da relatividade geral de Einstein dava suporte teórico para sua existência (fato do qual nem mesmo Einstein se convenceu). No entanto, duas guerras mundiais atrasaram pesquisas mais sérias e coordenadas sobre o assunto, mas, após a Segunda Guerra Mundial, o interesse geral no assunto foi renovado. É válido notar que o termo "buraco negro" não foi cunhado até 1967, quando o egresso de Princeton, John Archibald Wheeler, o introduziu; até então a expressão mais comum era "estrelas completamente colapsadas gravitacionalmente".

O estudo de buracos negros é particularmente desafiador, pois, se não emitem luz nenhuma, eles são invisíveis. De fato, só podemos identificar a presença de um buraco negro pela observação de seus efeitos nas estrelas ao redor. Estudar buracos negros é, assim, o exemplo definitivo de tatear no escuro. Hawking, ao menos metaforicamente, jogou mais luz nessas curiosidades astronômicas que qualquer outra pessoa.

Hoje sabemos que um buraco negro consiste em um horizonte de eventos – em outras palavras, uma superfície externa dentro da qual nada resiste ao empuxo gravitacional do buraco – e em uma singularidade – um ponto de infinita densidade que resulta da implosão de um objeto quando colapsa sobre sua própria órbita gravitacional. As leis tradicionais da natureza sugerem que uma singularidade é fisicamente impossível, mas apesar disso a Cosmologia precisa de sua existência. Hawking pavimentou esse abismo teórico e definiu os parâmetros para as gerações seguintes de pesquisadores. Sua odisseia cósmica teve uma grande reviravolta em 1964, quando, acompanhado de seu orientador de Ph.D, Dennis Sciama, assistiu a uma palestra do renomado matemático Roger Penrose. Este ponderava a existência de uma singularidade no coração de um buraco negro. Hawking levou a proposição de Penrose um passo adiante, questionando se a teoria da singularidade poderia ser estendida ao universo inteiro. Dessa forma, ele praticamente inventou uma área toda nova de conhecimento – e extraordinariamente rica – da noite para o dia.

REESCREVENDO O LIVRO

> "Muitos prêmios foram ganhos por demonstrar que o universo não é tão simples quanto pensávamos."
> Stephen Hawking, *Uma breve história do tempo*, 1988.

O ano 1970 seria o ano miraculoso para ele, quando se estabeleceu definitivamente no centro do mundo científico. Seu grande sucesso foi a publicação de um artigo ("As singularidades do colapso gravitacional e Cosmologia"), em colaboração com Roger Penrose, que explicava como as singularidades inevitavelmente resultam de um colapso gravitacional inerente na teoria geral de Einstein.

Ao longo dos anos seguintes, Hawking consolidou sua fama crescente com uma série de avanços teóricos. Em 1971, por exemplo, apresentou como o horizonte de eventos de um buraco negro aumenta com o tempo. No mesmo ano, ele e Brandon Carte foram a público com o teorema da calvície, que decretava que buracos negros são distintos uns dos outros apenas pela diferença de massa, carga e *spin*, e nada mais. Em 1973, fez parte de um time que demonstrou a correlação entre o comportamento de buracos negros e as quatro leis básicas da termodinâmica.

Depois, em 1974, lançou sua maior contribuição para o avanço científico. Hawking empregou a teoria quântica para argumentar que buracos negros emitem um fluxo estável de radiação (ou, como ele diria anos depois, "Os buracos negros não são tão negros"), com uma taxa de radiação crescente conforme o tamanho do buraco diminui, até que evapore por completo. Crucialmente, então, é possível que certos tipos de matéria escapem de um buraco negro, contradizendo a ortodoxia estabelecida de que nada poderia se libertar de um horizonte de eventos.

Trabalhando em um novo e emergente campo, Hawking se deleitava ao definir as regras enquanto prosseguia. Sempre um espírito livre, não dava nada como certo e estava preparado para desafiar qualquer coisa que o meio científico achasse já saber. Como resultado disso, cientistas foram forçados a olhar para os buracos negros e para o próprio universo de uma forma completamente nova.

ENFRENTE AS GRANDES QUESTÕES

"Há uma singularidade em nosso passado que constitui, de certa forma, um princípio para o universo."

STEPHEN HAWKING E G.F.R. ELLIS EM *THE LARGE SCALE STRUCTURE OF SPACE-TIME*, 1973.

DESDE A PALESTRA DE ROGER PENROSE em 1964, o entendimento crescente de Hawking por buracos negros direcionou sua busca para a maior questão da Cosmologia: como o universo começou? Tentando responder a essa pergunta, ele se transformou de um astro no firmamento científico a um ícone global.

A ideia original de que o universo começou com um "*Big Bang*" (cerca de 13,7 bilhões de anos atrás, de acordo com os cálculos mais recentes) é amplamente creditada a um padre belga, Georges Lemaître. Havia um conjunto crescente de evidências nos anos 1920 de que o nosso universo estava se expandindo ativamente – por ninguém menos que o astrônomo norte-americano, Edwin Hubble, que, conforme vimos anteriormente, demonstrou que as galáxias estavam se afastando em todas as direções. Em 1927, Lemaître sugeriu que a expansão do universo tinha como ponto de partida um átomo primordial.

Outros cientistas gradualmente aprimoraram esse trabalho para desenvolver uma imagem do começo do tempo. Os que aderiram à teoria do Big Bang imaginavam uma massa fervente de energia e matéria de altíssima densidade, que media poucos milímetros. Isso existiu, segundo suas teses, por apenas uma fração de segundo no princípio do universo, antes desse "átomo original" explodir, liberando enormes quantidades de energia e passando por um período de rápida expansão até começar a resfriar. Assim, o universo tal qual conhecemos começou sua longa evolução.

Quando Hawking começou sua vida acadêmica, o mundo científico se dividia entre os que estavam convencidos de que a teoria do Big Bang tinha as respostas para o começo de tudo e os que preferiam uma teoria alternativa. O principal opositor da teoria do Big Bang era Fred Hoyle, que defendia a Teoria do Estado Estacionário. Argumentava que, conforme as galáxias se afastam umas das outras, matéria nova é criada, mantendo assim uma média de densidade constante no universo. De acordo com essa hipótese, o universo se mantém o mesmo (em larga escala) ao longo do tempo. Essa visão necessariamente excluía a possibilidade do momento de um Big Bang.

Os defensores da teoria do Big Bang ganharam reforço em 1965, quando a radiação cósmica de fundo em micro-ondas foi detectada pela primeira vez. Essa radiação havia sido prevista havia muito tempo em modelos do Big Bang, e sua descoberta pareceu ratificar boa parte desse trabalho. Apesar disso, o cisma entre os defensores de ambas as teorias seguiu. Estava montado o palco para Hawking e sua abordagem revolucionária.

O ALUNO SE TORNA O MESTRE

Ironicamente, Hawking esperava que Fred Hoyle fosse seu orientador de Ph.D quando se candidatou em Cambridge. Em vez disso, o tempo mostrou que o aluno viria a derrubar os ensinamentos do mestre. Ainda mais irônico, é creditada a Hoyle a popularização do termo "Big Bang" – disseminando assim uma ideia que tentava derrubar.

Da semente plantada em 1964 pela palestra de Penrose, Hawking amadureceu a ideia de que o universo pode ter surgido de uma singularidade. Se um buraco negro pode colapsar sobre si mesmo para formar uma singularidade, não poderia uma singularidade colapsar para fora e formar um universo? Em 1970, ele estava convencido disso.

Em busca de sua tese, ele gerou – ou foi essencial no desenvolvimento de – uma teoria revolucionária após a outra. Foi, por exemplo, um notável defensor da hoje amplamente aceita teoria da inflação cósmica (apresentada pela primeira vez por Alan Guth em 1980), que propõe que o universo passou um período de superexpansão nos nanossegundos seguintes de sua criação. É por causa dessa superexpansão, muitos cosmólogos acreditam, que o nosso universo curvo aparenta ser reto a olho nu (tal como nosso planeta parece reto para quem está em sua superfície), e que áreas fisicamente distantes do céu sejam parecidas (pois no princípio estavam em contato próximo).

Talvez ainda mais significativo, Hawking (junto com James Hartle, da Universidade da Califórnia) publicou o teorema da ausência de fronteiras, em 1983, que tentava descrever como o universo poderia surgir de uma singularidade, da qual – por definição – nada escapa. Apoiado na teoria quântica para ajustar a teoria da relatividade geral, Hawking e Hartle redefiniram os termos de referência para a geometria do espaço-tempo no começo do universo. Em essência, suas equações eliminavam a necessidade de considerar o que existia antes do Big Bang. Como argumenta Hawking, visto que a teoria geral prova que o espaço e o tempo não são absolutos, mas quantidades dinâmicas moldadas pela matéria e pela energia do universo, não faz sentido falar de tempo antes do começo do universo. Ao responder sobre o que havia antes do Big Bang, ele diz que é como "perguntar por um ponto ao sul do Polo Sul".

A teoria de Hartle e Hawking permitiu que cosmólogos predissessem a probabilidade da criação espontânea do universo, que entrou em uma fase de superinflação. Essa teoria funcionava apenas em um contexto que chamamos de universo fechado – ou seja, um universo que tenha curvatura positiva e que se expanda como uma bola inflável. No entanto, conforme as evidências astronômicas reforçaram o apoio à ideia de que o universo era plano ou aberto, Hawking veio a reinventar a teoria da ausência de fronteiras com o colega de Cambridge Neil Turok, para que pudesse ser aplicada a esses modelos teóricos.

Então, em 2006, Hawking apresentou ao mundo sua visão "de cima para baixo" da Cosmologia – uma tese vista amplamente como extensão da teoria de ausência da fronteiras. Desenvolvida com Thomas Hertog, com quem Hawking trabalhou na Organização Europeia para a Pesquisa Nuclear, essa abordagem sugere que o melhor ponto de vista para se entender o universo é a sua forma final (melhor dizendo, presente), e o trabalho de trás para a frente para entender suas formas anteriores, em vez de tentar estabelecer um estado inicial e trabalhar dali em diante. Isso abre caminho para a abordagem de "múltiplos mundos" na Cosmologia (veja a seção "A interpretação de muitos mundos" na página 78). O trabalho do cosmólogo é discernir qual história se encaixa melhor em nossos dados astronômicos e a partir daí calcular as probabilidades de como será o futuro do universo.

É justo dizer que a fama global de Hawking jaz, em última instância, na nova abordagem que ele deu à questão do começo do tempo (ou talvez devêssemos dizer o não começo). Em termos gerais, ele é o cientista vivo mais conhecido do mundo, por ter enfrentado as maiores de todas as questões, explorando os enigmas fundamentais da existência com tal bravura que às vezes beira a arrogância. É uma figura que constantemente explora "as profundezas mais ocultas do universo", conforme disse em *Buracos negros, universos-bebês e outros ensaios*. Mas ele é ainda mais simples em *Minha breve história*: "Sou apenas uma criança que nunca cresceu. Continuo perguntando 'como' e 'por quê'. Vez ou outra, encontro respostas."

ERGA-SE NOS OMBROS DE GIGANTES

"É [...] apropriado aclamar Newton como a maior figura da Física Matemática."

Stephen Hawking e Werner Israel, em *300 Years of Gravitation*, 1987.

Apesar de suas demonstrações públicas de humor autodepreciativo, Hawking não é um homem que subestima seu lugar no panteão científico. É notável que ele ainda não tenha recebido um Prêmio Nobel, para alguns o último requisito para ser considerado parte verdadeira da alta elite (pelo menos no reino da ciência). Falaremos do Nobel depois. Com ou sem prêmio, os analistas frequentemente alocam Hawking entre uma prestigiosa linhagem de grandes cientistas; de fato, nada nos indica que ele mesmo não se sinta pertencente a esse grupo. Sua própria frase de efeito no anúncio de um de seus livros, por exemplo, descreve-o como "um dos físicos teóricos mais brilhantes desde Einstein".

Se por um lado Hawking reconhece vários de seus antecessores como fonte de inspiração, também se envaidece em criticar seus trabalhos. Afinal, sua carreira foi construída sobre testar as teses desses cientistas e por diversas vezes revisá-las para que se encaixassem nos dados astronômicos mais recentes.

Podemos ir além e consultar o livro do próprio Hawking de 2002, *Os gênios da ciência: sobre os ombros de gigantes*, para entender quem ele considera seus principais antecedentes. Entre diversas palavras-chave da Física e da Astronomia ao longo da história, ele inclui os escritos de Copérnico, Galileu, Kepler, Newton e Einstein.

O polonês Nicolau Copérnico (1473-1543) promoveu uma revolução na forma como a humanidade entendia o universo (e principalmente o nosso lugar nele) ao criar um modelo que tinha o Sol como centro, em vez da Terra. Não é de se estranhar que Hawking admire a forma com que ele enfrentou o dogma estabelecido. De maneira similar, Galileu Galilei (1564-1642), italiano que fez grandes avanços na compreensão da Astronomia, massa e movimento, foi descrito por Hawking em uma edição de 2009 da revista *American Heritage of Invention & Technology* da seguinte forma: "talvez mais do que qualquer outra pessoa [...] responsável pelo nascimento da ciência moderna".

Isaac Newton (1642-1727) – o físico e matemático inglês, mais conhecido pela elucidação matemática da gravidade, também é responsável por feitos de igual ou ainda maior relevância – é aclamado por Hawking na epígrafe deste capítulo. Na visão de Hawking, ele é simplesmente o melhor de todos. A ele é atribuída a frase "Se vi mais longe que outros homens, foi porque soube me erguer sobre os ombros de gigantes", e é visto por Hawking como o próprio gigante sobre cujos ombros se erguem todos que o sucederam. Sobre Einstein, Hawking diz: "É a única figura nas ciências físicas com estatura comparável à de Newton". No entanto, a teoria da relatividade geral de Einstein foi desenvolvida sobre o trabalho matemático de outros (notavelmente Bernhard Riemann), enquanto Newton foi compelido a "desenvolver seu próprio maquinário matemático", e por isso está em vantagem, na opinião de Hawking.

Há outros que podem ser inseridos nessa cronologia de grandes físicos. Podemos, por exemplo, pensar em incluir os pioneiros da mecânica quântica – figuras como Max Planck, cujos trabalhos revolucionários na área lhe renderam o Prêmio Nobel em 1918. Ele estava entre os teóricos que se digladiavam com a noção explosiva de que a matéria pode existir simultaneamente como onda e como conjunto de partículas. Tal ideia sacudiu os alicerces da ciência, tornando "incerteza" a palavra de ordem. Antes era possível calcular a probabilidade, por exemplo, de uma partícula estar em um determinado lugar em determinado momento, mas agora já não era algo certo. Mais uma vez, nossa visão de mundo foi posta em dúvida.

Em 1979, Hawking foi nomeado para o prestigioso posto de professor lucasiano em Matemática, em Cambridge. Tal posto foi ocupado anteriormente não só por Newton, mas, no começo do século XX, por outro expoente da Física Quântica, Paul Dirac. Este também com certeza merece um posto na linhagem grandiosa. Dirac, por coincidência, foi orientador do próprio orientador de Hawking em seu Ph.D, Dennis Sciama. No entanto, foi seu trabalho anterior com Richard Feynman, entre os anos 1920 e 1940 – que deu origem à brilhante teoria dos campos quânticos, enquanto examinavam a mecânica quântica e os campos eletromagnéticos –, que proporcionou a influência mais duradoura no trabalho de Hawking. Em uma homenagem de 1995 em memória a Dirac, na Abadia de Westminster, em Londres, Hawking o chamou de "o maior físico teórico desde Newton". Tendo em vista a própria carreira impressionante, Hawking deve se considerar outro bom candidato para esse título.

HAWKING E EINSTEIN

> "Einstein e Hawking ganharam status de celebridade não só por suas descobertas científicas, mas por suas excepcionais qualidades humanas."
> Freeman Dyson, *The New York Review of Books*, 2011.

Desde que seus colegas de escola o homenagearam com o apelido de Einstein, é a esse ícone da ciência que Hawking é frequentemente comparado, apesar de ele mesmo evitar a comparação. Alguns o consideram praticamente um sucessor natural, mas o cenário talvez seja mais complexo do que isso. Apesar de tudo, há muitos paralelos incríveis entre a vida e os trabalhos desses dois homens.

Hawking passou uma parte significativa de sua carreira atrás da desejada "teoria de tudo" (veja o capítulo "Não tenha limites para sua ambição" deste livro), que busca estabelecer um conjunto de regras que concilie a teoria da relatividade geral com as leis quânticas, sendo que uma parece estar em conflito fundamental com a outra. Esse foi um objetivo buscado por Einstein e que acabou por derrotá-lo. É duvidoso que Hawking tenha mais sucesso nessa empreitada, a esta altura da vida. Apesar disso, tal busca fantástica tem vinculado Einstein e Hawking no imaginário popular até hoje.

Há também ecos de Einstein em Hawking em um nível mais pessoal. A mente naturalmente inquisitiva dos dois cientistas e seu intelecto extraordinário só começou a brilhar fora das amarras das primeiras etapas da educação formal. De maneira similar, ambos acreditavam que seu conhecimento matemático estava defasado em relação a seu pensamento teórico. Em outras palavras, ambos tiveram problemas em usar a matemática existente para explicar os fenômenos que podiam visualizar na mente.

Se por um lado Einstein se sobressaiu no campo teórico, era desleixado em ciência aplicada, e seus experimentos desleixados por vezes se provaram uma ameaça à vida e à integridade física no laboratório. Hawking também preferiu trabalhar com sua imaginação em vez de no laboratório, mesmo antes de sua doença lhe deixar poucas opções nesse sentido. Não é exagero dizer que eles estão entre os maiores expoentes do pensamento experimental da história (em outras palavras, o exame de uma tese e sua funcionalidade na imaginação em vez do teste prático).

Ambos, para completar, tinham preocupações maiores – desde a questão sobre a existência de um deus a preocupações quanto à proliferação de armas nucleares, e uma tendência a atitudes socialmente liberais. Também se valeram de seu status de celebridade para apoiar causas com que se importavam profundamente (vide o capítulo "Defenda o que você acredita" deste livro). Também tiveram em comum, de formas bastantes distintas, as vidas pessoais complicadas, incluindo divórcios e novos casamentos, parecendo provar que talvez fosse mais fácil navegar pelos mistérios do universo do que pelas questões do coração.

Enfim, apesar de tudo, estão unidos como ícones perenes da

ciência – um espaço tradicionalmente reservado para figuras raras, que conseguem transcender a academia para se tornarem personalidades reconhecidas por mérito próprio. Ambos foram o rosto humano do pensamento científico em suas épocas. Você pode não entender a teoria da relatividade geral, e pode ter lido apenas vinte páginas de *Uma breve história do tempo*, mas sabe reconhecer Einstein e Hawking, e entende que, de alguma forma, seus trabalhos são importantes e brilhantes. Isso é, provavelmente, tudo o que um cientista poderia querer.

Ao escrever para a revista *New York Review of Books* em 2011, o estimado físico teórico Freeman Dyson falou sobre a dupla: "Ambos se encaixam facilmente no papel de ícone, respondendo à adoração do público com modéstia, bom humor e declarações provocativas programadas para despertar atenção. Ambos devotaram suas vidas à uma batalha incessante para penetrar nos mistérios mais profundos da natureza, e ainda tiveram tempo para as preocupações cotidianas das pessoas comuns. Merecidamente, o público os julga heróis genuínos, amigos da humanidade e magos da ciência."

SEJA UM ICONOCLASTA

"Então Einstein estava errado…"

STEPHEN HAWKING, EM UM DEBATE NO INSTITUTO ISAAC NEWTON DE CIÊNCIAS MATEMÁTICAS DE CAMBRIDGE, 1994.

Se por um lado Hawking reconhece a dívida que tem com os que o antecederam, isso não faz com que ele respeite as reputações destes. No universo de Hawking, nada é sagrado. Sua iconoclastia é um traço que por vezes aparece em gestos grandiosos e, em outras, manifesta-se de forma mais sutil.

Ele é conhecido, diga-se de passagem, por usar discretamente sua cadeira de rodas para esbarrar naqueles que o irritam. Certa vez passou por cima dos dedos do Príncipe de Gales, apesar de nunca ter ficado claro se o Príncipe Charles "mereceu" o ataque ou foi vítima de um erro de controle da parte de Hawking. Discussões à parte, quando questionado por seus amigos do meio científico sobre o incidente, ele confessou desejar ter feito o mesmo com a primeira-ministra Margaret Thatcher.

Por trabalhar na linha de frente da academia por tanto tempo, Hawking já teve embates com inúmeros colegas de enorme reputação e raramente fugiu do enfrentamento quando foi preciso. Entre suas mais notáveis "vítimas", esteve Fred Hoyle, defensor da teoria do estado estacionário, contra a qual Hawking, discípulo da teoria do Big Bang, argumentou arduamente. Após superar a decepção de que Hoyle não seria seu orientador de Ph.D quando se mudou de Oxford para Cambridge, Hawking ficou aliviado em saber que não precisaria trabalhar no campo de Hoyle.

Pouco tempo depois de chegar a Cambridge, Hawking se tornou amigo de Jayant Narlikar, um pós-graduando assistente de pesquisa de Hoyle. Ao longo de muitas conversas, Hawking começou a suspeitar de que Hoyle estivesse errado em um ponto específico da pesquisa que estava desenvolvendo. Com certa vocação para o drama e uma ousadia cavalheiresca, Hawking decidiu discutir a questão com Hoyle após uma palestra de alto padrão que o pesquisador mais velho ministrava na Real Academia de Londres. Hawking escolheu, naquele episódio, atacar o colega, mais famoso e mais velho, em uma arena bastante pública. Não foi um assassinato intelectual completo, mas parecia lembrar Brutus e César nos idos de março.

Hoyle, não surpreendentemente, não se impressionou com o episódio, mas se juntou à numerosa lista de nomes famosos que foram vítimas dos ataques devastadores de Hawking. Como mostramos na citação que abre este capítulo, nem mesmo Einstein escapou dos comentários ácidos, naquela ocasião, com respeito à questão da incerteza quântica no universo. Mais adiante, veremos a progressiva solidez do posicionamento adotado por Hawking sobre a questão da existência ou não de um deus, mas por agora podemos adiantar que, para ele, ícones espirituais são tão passíveis de críticas quanto os do mundo secular.

Considere, por exemplo, sua resposta afiada ao receber uma premiação do papa em 1975: a Medalha Pio XI, dada pela Pontifícia Academia de Ciências. Devido a uma leitura simplista da teoria do Big Bang, havia teólogos que acreditavam que a tese – em defesa de um "momento da criação" – sustentava a noção de um deus criador. Assim, Hawking não foi um laureado tão improvável à época como seria nos dias de hoje (apesar de ele próprio nunca ter defendido tal posicionamento).

Como que por obra do destino, ele recebeu a notícia da premiação enquanto estava assistindo à aclamada série televisiva de Jacob Bronowski, *A ascensão do homem*. Esse episódio em particular havia discutido detalhes do julgamento de Galileu e seus longos anos de prisão domiciliar, punição infligida pelo Vaticano em resposta à insistência de Galileu de que a Terra não seria o centro do universo. Tal foi a ira retroativa de Hawking em relação ao comportamento papal que ele estava disposto a recusar o prêmio (ao qual fora indicado por Paul Dirac), mas foi persuadido em seguida a aceitá-lo. No entanto, ele estava determinado a fazer uma defesa de Galileu em sua visita ao Vaticano para receber a medalha. Correndo o risco de criar uma situação bastante desconfortável, ele exigiu ver os documentos do julgamento de seu celebrado antecedente, material em posse da Biblioteca do Vaticano, e com isso marcou seu posicionamento.

Nem a idade moderou seu ímpeto de confrontar e derrubar os alvos que ele acredita merecerem tal tratamento. Em 2011, em sua fala na Conferência Zeitgeist do Google, ao discutir o campo da filosofia, ele declarou que a disciplina estava morta, e arrematou dizendo que, em sua opinião, os filósofos haviam falhado de modo consistente em se manter a par dos desenvolvimentos da ciência moderna. Os cientistas, ele concluiu, quase sem nem corar, "tornaram-se os portadores da tocha da descoberta em nossa jornada pelo conhecimento". Necessariamente, alguém como Hawking, que passou a vida questionando crenças antigas e presunções, não tem tempo para vacas sagradas.

NÃO TENHA LIMITES PARA SUA AMBIÇÃO

"Meu objetivo é simples: uma compreensão completa do universo, porque ele é como é, e porque tem um fim."

Stephen Hawking, citado no documentário *O universo de Stephen Hawking*, de John Boslough, 1985.

Entre as contribuições mais notáveis de Hawking para a Cosmologia está sua teoria da ausência de fronteiras. Inegavelmente, sua recusa em aceitar fronteiras de qualquer natureza é um traço que podemos ver ao longo de sua carreira. Não há ilustração melhor para isso do que sua enérgica busca pela desejada "teoria de tudo", que visa preencher as lacunas existentes entre a teoria geral de Einstein e o mundo da mecânica quântica. É uma busca de proporções arturianas que derrotou todos os que vieram antes, até mesmo – como mencionado anteriormente – o próprio Einstein.

Conforme Hawking desenvolvia sua teoria de que o universo emergiu de uma singularidade, ele se debateu com o mesmo problema diversas vezes – as equações da teoria geral de Einstein não funcionavam quando aplicadas a uma singularidade. Einstein desenvolveu sua teoria para ser aplicada ao universo em toda sua vastidão, mas não levava em conta as estruturas de matéria em pequena escala trabalhadas na mecânica quântica. Então, se você tentar aplicar a teoria geral ao universo quando este tinha apenas uma fração de milímetro, a estrutura quântica precisa ser levada em conta, e por isso se fazia necessária uma teoria que casasse as duas abordagens divergentes.

O próprio termo "teoria de tudo" já é problemático. Para começar, ainda que a teoria geral e a mecânica quântica possam ser perfeitamente alinhadas, muitos duvidam que teremos "todas as respostas" para os grandes mistérios. De fato, ainda que possamos compreender e explicar como chegamos até aqui, em termos da Física, teremos condições de responder às grandes questões filosóficas, tais como por que estamos aqui (e se há uma "razão")? A despeito disso, é o tipo de expressão que imediatamente se prende em nosso imaginário (o filme vencedor do Oscar sobre a vida de Hawking leva esse título) e se torna a manchete ideal para os escritores. Não podemos dizer que Hawking tenha desencorajado o uso do termo, visto que o utilizou publicamente para disseminar seu trabalho à esfera pública.

Em 1980, por exemplo, em sua aula inaugural como professor lucasiano em Matemática, intitulada "Será o fim da linha para a Física Teórica?", ele alegou que os cientistas estavam bem perto da teoria de tudo. De fato, Hawking chegou a ponto de prever que esta seria descoberta antes do fim do século (dezoito anos depois, em outra aula, ele reconheceria que "não parece que vai dar tempo"). Em passagem ainda mais famosa, ele conclui *Uma breve história do tempo* com um memorável comentário sobre a teoria:

> *Se descobrirmos uma teoria completa, ela deve necessariamente ser compreensível por todos, não apenas por alguns poucos cientistas. Assim poderemos todos, filósofos, cientistas e pessoas comuns, discutir as questões de por que nós e o universo existimos. Encontrar essa resposta seria enfim o triunfo da razão humana – pois conheceríamos a mente de Deus.*

Em busca do Santo Graal do conhecimento humano, Hawking depositou bastante fé na teoria das cordas (ou, para dar o nome completo, teoria das supercordas), especialmente na teoria M, nascida dela. A teoria das cordas, estabelecida por um grande conjunto de físicos teóricos nos anos 1970, entende as partículas de modo diferente do formato pontual zero-dimensional da Física clássica de partículas. Na teoria das cordas, as partículas são modeladas como cordas vibrantes de uma dimensão, cujas características são definidas pelas vibrações. O universo, de acordo com a teoria das cordas, é repleto dessas cordas vibrantes que constantemente interagem umas com as outras. A teoria das cordas traz a noção de que partículas quânticas possuem força gravitacional, proporcionando assim meios de explicar, entre outras coisas, características dos buracos negros que pareciam se opor à teoria geral.

A teoria M surgiu nos anos 1990, principalmente pelo trabalho de Edward Witten. O "M", sugeriu ele, poderia significar "mágica", "misteriosa" ou "membrana". Independentemente de sua etimologia, ela parece unificar as cinco versões amplamente aceitas da teoria das cordas em uma única teoria global que trabalha com onze dimensões. Ainda está incompleta e há muito trabalho a se fazer para criar uma base matemática que explique tudo completamente, mas Hawking fez uma grande contribuição com a publicação de *O grande projeto*, livro escrito com Leonard Mlodinow em 2010, que esboça e explica a teoria.

Hawking é sagaz e sabe que falar da teoria de tudo é uma forma garantida de ter atenção popular; mas, ainda assim, é um realista. Com o passar dos anos, suas declarações públicas sugerem que sua fé de um dia encontrar uma teoria completa e unificada está diminuindo. Considere, por exemplo, seu prefácio de 1993 à sua coleção de trabalhos selecionados, *Buracos negros, universos-bebês e outros ensaios*. Ali, vemos sua audaciosa previsão de 1980 dar lugar a uma abordagem mais cautelosa.

> *Os artigos científicos deste volume foram escritos sob a crença de que o universo é governado por uma ordem que só podemos perceber parcialmente agora, mas poderemos compreender por completo em um futuro não tão distante. Pode ser que essa esperança seja apenas uma miragem; que não haja teoria unificada alguma e, mesmo que exista, pode ser que nunca a encontremos. Mas é certamente melhor buscar o entendimento completo de tudo do que as aflições da mente humana.*

Em uma palestra de 2002 intitulada "Gödel e o Fim da Física", ele foi além:

> *Algumas pessoas ficarão muito decepcionadas se não houver uma teoria unificada que possa ser formulada com um número finito de princípios. Eu costumava pertencer a esse grupo, mas mudei de ideia. Sou grato hoje que nossa busca pela compreensão nunca chegará ao fim, e que sempre teremos o desafio de uma nova descoberta.*

Para justificar sua mudança radical de posicionamento, ele citou os "teoremas da incompletude" do filósofo, matemático e lógico, Kurt Gödel, austríaco, naturalizado norte-americano.

Publicada em 1931, a tese altamente complexa de Gödel argumenta que todo e qualquer sistema de lógica (por exemplo, um determinado ramo da Matemática) é necessariamente incompleto, visto que sempre é possível conceber afirmações que não podem nem ser provadas nem negadas usando as regras básicas do sistema lógico. Se você buscar provar ou negar essas afirmações importando novas regras ou axiomas para o sistema, acaba criando um novo sistema, maior, com suas próprias regras de afirmações não comprováveis. Seguindo a lógica de Gödel, Hawking foi forçado a concluir que a verdadeira teoria de tudo nunca poderá ser alcançada (ainda que possamos supor que a própria lógica de Gödel, de acordo com seu próprio argumento, esteja incompleta, e, nesse caso, suas conclusões possam ser refutadas...). Apesar de tudo, Hawking não fez referência aos teoremas da incompletude para desestimular os envolvidos na busca pela teoria de tudo (sendo ele mesmo um desses), mas para sugerir que talvez não devamos nos preocupar se a busca não culminar no entendimento da mente de Deus afinal.

IMAGINE O UNIVERSO NA SUA CABEÇA

"Eu penso em termos imagéticos."

STEPHEN HAWKING, *MINHA BREVE HISTÓRIA*, 2013.

HAWKING FEZ A DECLARAÇÃO da página 73 em referência a *Uma breve história do tempo*, afirmando que o livro era, em parte, uma tentativa de descrever para um público amplo as imagens mentais que ele carrega em sua cabeça, por meio de palavras e alguns diagramas.

Por ter passado a vida adulta lidando com a perda crescente da habilidade de se comunicar verbalmente (tanto de forma oral quanto escrita), não surpreende muito que ele processe suas ideias de forma predominantemente visual. Apesar disso, para nós acostumados a fermentar as ideias no caldeirão da tradicional linguagem falada ou escrita, a abordagem de Hawking, em termos conceituais, é difícil de ser assimilada. Ainda que pareça iminentemente possível que as restrições físicas de Hawking o tenham levado a uma melhora das capacidades de visualização (assim como evidências sugerem o aguçamento da audição em pessoas com deficiência visual), também parece provável que ele tenha nascido com a habilidade inata de "ver" ideias e visualizar conceitos de forma que poucos conseguiriam emular.

É assim, por exemplo, que Hawking lida com a noção – exigida pela teoria M – de que o universo é composto de onze dimensões. Em um artigo de 2005 no jornal *The Guardian*, intitulado "Return of the Time Lord" ("O retorno do senhor do tempo"), ele reconheceu que a abordagem multidimensional do universo tem seus desafios:

"No entanto, de um ponto de vista puramente matemático, é tão fácil pensar em onze dimensões quanto é pensar em três ou quatro". Provavelmente ao resto do mundo fica a pergunta "É mesmo?", enquanto nos debatemos para entender as três dimensões tradicionais.

Suas habilidades extraordinárias de visualização são evidentes, por exemplo, em um trabalho que o desafiou a compreender a gravidade quântica nos anos 1970. Junto com Gary Gibbons, ele desenvolveu um sistema de gravidade quântica euclidiana que nos permite transformar matematicamente (usando os axiomas de Euclides, matemático da Grécia antiga) a dimensão do tempo para que ele se correlacione com as dimensões espaciais. Dessa forma, podemos simplificar enormemente a quantidade de trabalho matemático necessário para estudar, por exemplo, as características de buracos negros. A gravidade quântica euclidiana foi também vital para a formulação do teorema Hartle-Hawking da ausência de fronteiras.

Ao longo da carreira, Hawking se tornou o garoto propaganda do conceito conhecido como "tempo imaginário" – uma ideia que encanta muitos de nós ainda que não a compreendamos de verdade. Hawking trouxe magistralmente o tempo imaginário para as massas em *Uma breve história do tempo*, mas depois veio a admitir que é "a parte do livro com que as pessoas mais têm problemas". Ele tentou novamente explicar o conceito em seu livro de 2001, *O universo numa casca de noz*. Primeiro ele propõe o que imaginamos como o "tempo regular" em uma linha horizontal indo do "passado", em uma ponta, para o "futuro", do outro lado. Em contraste, o "tempo imaginário", corre perpendicular ao "tempo regular", para abranger o aspecto de outras dimensões espaciais. Não é, então, imaginário no sentido de não ser real ou de ser inventado. Ele explica:

> *Do ponto de vista da filosofia positivista, não se pode determinar o que é real. Tudo o que se pode fazer é encontrar modelos matemáticos capazes de descrever o universo em que vivemos. A questão é: um modelo matemático que envolva o tempo imaginário pode predizer não só*

os efeitos que já observamos mas também outros que ainda não fomos capazes de medir, ainda que acreditemos neles por outros motivos. Então o que é real e o que é imaginário? Será que a diferença está dentro da nossa cabeça?

Em outras palavras, para Hawking, o tempo imaginário é simplesmente outra ferramenta para facilitar o trabalho de dar sentido à realidade que existe ao nosso redor. Uma forma, como ele descreveu certa vez, de contornar a complexa noção científica e filosófica de que o tempo tem um começo por seguir uma direção no espaço. No entanto, ele garantiu em seguida, para aqueles que têm dificuldade com o conceito, que não é verdadeiramente necessário entender por completo o tempo imaginário para perceber seu significado no trabalho de Hawking. As pessoas podem simplesmente entender que é um tempo diferente do que chamamos de tempo real. Felizmente, ele consegue enxergar tudo isso mapeado em sua mente, ainda que nós não possamos.

Esse extraordinário "terceiro olho" traz à mente mais conexões entre Hawking e Einstein. O segundo certa vez apontou: "Eu raramente penso em palavras. Uma ideia vem, e eu talvez tente me expressar em palavras depois". Poderia ter sido Hawking falando sobre *Uma breve história do tempo*. Em outra ocasião, em escritos de 1945, Einstein declarou que "as palavras ou a linguagem, quando escritas ou faladas, não parecem fazer parte do meu mecanismo de pensamento". Em vez disso, descreve ele, "há entidades físicas que parecem servir de elementos ao pensamento", que são, "imagens mais ou menos claras que podem ser 'voluntariamente' reproduzidas ou combinadas".

A natureza de seus respectivos trabalhos demonstra que tanto Einstein quanto Hawking trabalharam – às vezes literalmente – no escuro. Tal era a profundidade dos mistérios abordados por eles que apenas as mentes mais verdadeiramente criativas e visionárias tiveram alguma chance de sucesso. Ambos podem alegar ser abençoados de forma sobre-humana nesse departamento. Como disse Einstein em 1929: "A imaginação é mais importante do que o conhecimento. O conhecimento é limitado. A imaginação envolve o mundo".

A INTERPRETAÇÃO DE MUITOS MUNDOS

> "Talvez haja uma história em que a lua seja feita de queijo roquefort, mas temos observado que a lua não é feita de queijo, o que é uma má notícia para os ratos."
> Stephen Hawking, *O grande projeto*, 2010

Ao considerar a ginástica mental de Hawking, seria desleixado ignorar a forma com que ele trabalhou sobre a famosa interpretação de muitos mundos (IMM) – e particularmente a "soma de histórias" de Richard Feynman.

A interpretação de muitos mundos foi concebida pelo físico norte-americano Hugh Everett III no final dos anos 1950, e foi batizada pelo colega compatriota, Bryce Seligman DeWitt, alguns anos depois. Em (breve) resumo, a hipótese argumenta que há um número potencialmente infinito de universos, logo, tudo o que poderia ter acontecido no passado de nosso próprio universo, de fato aconteceu em um universo paralelo, o que permite assim a existência de todas as histórias e todos os futuros. A realidade, em outras palavras, torna-se multirramificada, e a nossa realidade faria parte apenas do ramo em que existimos. Em termos de mecânica quântica, isso permitiria que todos os resultados potenciais se realizassem, eliminando assim a "aleatoriedade" do mundo quântico.

Hawking utilizou a interpretação de muitos mundos como uma ferramenta para calcular as probabilidades de uma Condição A hipotética existir, considerando a existência observável de Condição B. Se todos esses universos paralelos existem em uma realidade física é, de certa forma, irrelevante, visto que sua existência teórica já atende a seus propósitos. Já em sua missão de determinar como o universo começou, Hawking fez uso especial do trabalho de Richard Feynman (um homem descrito por ele como um "personagem intrigante", tanto pela fama de Feynman de tocar bongôs em um bar de striptease em Pasadena quanto por sua condição de físico brilhante) e de sua "soma de histórias" (também conhecida como "formulação de integral de caminho da teoria quântica de campos"). Hawking a explica na palestra sobre J. Robert Oppenheimer que ele ministrou na Universidade da Califórnia, Berkeley, em 2007:

> *Para entender a origem do universo, precisamos conciliar a teoria da relatividade geral com a teoria quântica. A melhor maneira de fazê-lo parece ser com a ideia de Feynman da soma de histórias [...] Ele propôs que um sistema vai de um estado A para um estado B por todos os caminhos possíveis da história. Em cada caminho, ou história, houve certa amplitude e intensidade, e a probabilidade de o sistema ir de A para B é dada pela soma das amplitudes de cada caminho. Haveria então uma história em que a lua é feita de queijo azul, mas sua amplitude é baixa, o que é uma má notícia para os ratos.*

Ao aplicar a soma de histórias de Feynman na abordagem de Einstein da gravidade, Hawking explica em *Uma breve história do tempo* que "o análogo na história de uma partícula é agora um espaço-tempo completamente curvo que representa a história de todo o universo". Em outras palavras, a ponte entre a teoria geral e a mecânica quântica está cada vez mais próxima graças à habilidade de Hawking em capturar o universo no olho de sua mente.

NÃO DEIXE O AZAR DEFINIR VOCÊ

"Penso que as pessoas na comunidade deficiente diriam que ele é a maior celebridade na ativa. E ele tem mostrado que ter uma deficiência não é obstáculo algum para alcançar grandes feitos."

DR. TOM SHAKESPEARE, ATIVISTA PELOS DIREITOS DOS DEFICIENTES, 2015.

Hawking tinha vinte anos e o mundo a seus pés quando os primeiros indícios de uma séria doença começaram a se manifestar. O primeiro sinal que ele percebeu foi que não era mais capaz de remar corretamente, e também começou a ter dificuldades para amarrar os sapatos. Quando voltou para casa em St. Albans, no Natal de 1962, ele foi esquiar, caiu e mal conseguiu se levantar – e foi então que sua mãe percebeu que algo não estava certo. Os amigos presentes na comemoração de seus 21 anos perceberam que ele não conseguia servir as bebidas direito. Depois de tropeçar em algumas escadas, ele visitou um médico, que recomendou que ele reduzisse o consumo de álcool, mas sua mãe estava convencida de que havia algo mais ali e solicitou mais exames. Algum tempo depois, ele foi diagnosticado com esclerose lateral amiotrófica (ELA), uma doença degenerativa. O prognóstico era o mais sombrio possível. Ele não viveria até os 25 anos.

Hawking ficou, naturalmente, abatido, e entrou em uma fase psicológica sombria, em que foi forçado a se confrontar com a própria mortalidade. Apesar de negar notícias posteriores que afirmavam que começara a beber muito, ele encontrava conforto na música de Wagner e se tornou o que ele mesmo descreveu como "uma figura trágica". Ainda assim, saiu dessa mais focado e determinado do que nunca para deixar sua marca no mundo. Qualquer indignação que Hawking pudesse sentir por causa da cruel doença foi deixada de lado para que ele buscasse suas conquistas. E sempre que seus demônios apareciam, ele se lembrava de um garoto que ocupara uma cama de hospital em sua frente antes de sucumbir à leucemia. Quando sentia pena de si mesmo, Hawking se lembrava de que sempre havia alguém em uma situação pior.

Antes do diagnóstico, os estudos de Hawking estavam à deriva, mas depois ele embarcou em sua pesquisa com vigor renovado. Teve um momento de "estrada para Damasco" ao perceber que havia uma série de coisas importantes que ele poderia fazer antes da morte, e já que iria morrer mesmo, "poderia muito bem deixar algo de bom". Nas palavras de Nathan Myhrvold (que trabalhou com Hawking antes de fazer fortuna ao vender seu negócio de computadores para Bill Gates e se tornar uma figura-chave na ascensão da Microsoft), "Stephen tentou me convencer certa vez de que sua doença era uma vantagem, pois permitia que ele se concentrasse nas coisas importantes".

Para sua surpresa, Hawking descobriu que gostava mais de certos aspectos de sua vida após o diagnóstico do que antes. Parte importante disso foi a chegada de Jane Wilde em sua vida, a mulher que se tornaria sua primeira esposa. Imbuído do apoio dela, Hawking também começou a fazer grandes progressos nas pesquisas científicas. Assim começava a ascensão de sua impressionante carreira.

Havia certas vantagens práticas também. Hawking reconheceu há algum tempo que sua carreira se beneficiou muito de não ter que ministrar um volume árduo de aulas e frequentar reuniões de comitê como tinham de fazer seus colegas sem deficiência alguma. Sua deficiência oferecia grandes porções de tempo nas quais ele podia fazer muito pouco além de pensar. Como diria o professor Brian Cox aos jornalistas em 2012: "Uma coisa que ele me contou é que passa boa parte de seu tempo teorizando, quando entra e sai do banho, simplesmente porque isso leva muito tempo." Tal fato é um indicativo da forma como Hawking enfrenta algo que poderia ser uma imensa fonte de frustração e transforma em algo construtivo e valoroso.

Em oposição à deterioração de sua saúde ao longo de cinco décadas, a estrela de Hawking cresceu e cresceu. De um promissor aluno de pós-graduação em Cambridge, ele se tornou um teórico renomado mundialmente, uma estrela maior no firmamento da ciência, uma celebridade global e um ícone de sua era. Isso é, em qualquer padrão, um feito extraordinário, independentemente dos desafios impostos por suas limitações físicas. Quando questionado sobre como lida com sua deficiência, ele é historicamente rápido ao enfatizar os pontos altos de sua vida. Sua qualidade de vida é boa, ele diz, apesar de sua condição, e ele fez quase tudo que gostaria de ter feito. Certamente, é difícil de imaginar se ele teria alcançado muito mais se sua saúde fosse impecável. Seu único lamento, ele assume, é um ponto extremamente pessoal – de não ter podido brincar com seus filhos e netos como gostaria.

UM MANIFESTO PELOS CAPAZES EM ESPÍRITO

Em uma entrevista de 2011 para Claudia Dreifus do *The New York Times*, Hawking expôs seu manifesto para os que sofrem de graves limitações físicas. "Meu conselho para outros deficientes seria: concentrem-se em coisas que a deficiência não os impede de fazer bem, e não se arrependam das prejudicadas. Não sejam tão deficientes de espírito quanto o são fisicamente." De muitas formas, o mundo define Hawking parcialmente por sua deficiência, mas ele mesmo se recusa a permitir que isso o defina.

Hawking foi forçado a dar o seu melhor, e o fez com altíssima eficiência. Sua atenção ímpar às áreas em que teve sucesso é indicada no artigo que escreveu em 1984 para o periódico *Science Digest*, intitulado "Handicapped People and Science" ("Pessoas deficientes e a ciência").

> *Receio que os jogos olímpicos para deficientes não tenham muito apelo para mim, mas para mim é fácil dizer visto que eu nunca fui lá muito atlético. Por outro lado, a ciência é uma área muito boa para os deficientes, porque acontece em sua maior parte dentro da mente.*

Em 2012, no entanto, era aparente que ele tinha mudado sua postura em relação ao espetáculo atlético, quando fez a abertura dos Jogos Paralímpicos de Londres com as inspiradoras palavras:

> *Os Jogos Paralímpicos são para transformar a nossa percepção do mundo. Somos todos diferentes, não existe algo como ser humano padrão, mas todos temos o mesmo espírito humano. O importante é nossa habilidade de criar. A criatividade pode tomar diversas formas, das conquistas físicas à Física Teórica. Ainda que a vida pareça difícil, sempre há algo que você pode fazer bem e ter sucesso.*

Hawking incorpora a história definitiva de triunfo sobre a adversidade. Mesmo que seu corpo tenha lhe falhado das maneiras mais fundamentais, ele não permitiu que isso limitasse seu intelecto extraordinário. Ele é a prova viva de que o corpo humano é apenas uma concha, incapaz de limitar os voos da mente ou um espírito indomável. Em sua entrevista ao *Desert Island Discs*, em 1992, ele resumiu a situação desta forma: "Não digo que fui privado de uma vida normal, e não penso que as pessoas ao meu redor diriam que fui. Não me sinto como um deficiente, simplesmente alguém com um mau funcionamento dos neurônios motores, tal como se eu fosse daltônico".

O QUE É ESCLEROSE LATERAL AMIOTRÓFICA?

> "A mera sobrevivência teria sido um milagre médico, mas é claro que ele não meramente sobreviveu."
> Martin Rees, *New Statesman*, 2015.

A esclerose lateral amiotrófica é conhecida nos EUA como doença de Lou Gehrig, em reconhecimento ao famoso jogador dos New York Yankees, diagnosticado e morto pela doença antes do 38 anos. A ELA é também chamada por vezes de doença do neurônio motor, apesar de isso ser um termo genérico para uma série de doenças neurológicas progressivas entre as quais ELA é apenas uma.

A doença ataca os neurônios motores (células nervosas) presentes no cérebro, no tronco cerebral e na coluna dorsal, que controlam os movimentos musculares voluntários. Conforme a doença avança, o paciente se torna incapaz de controlar tais músculos, que por sua vez se atrofiam. ELA é incurável e frequentemente causa a morte por deixar o paciente incapaz de engolir ou respirar por conta própria. Apesar de atacar células cerebrais, a doença não afeta o intelecto. Não há um padrão claro de fatores de risco associados à ELA, e entre cinco a dez por cento dos casos são hereditários.

O prognóstico inicial de que Hawking provavelmente estaria morto cerca de dois anos após o diagnóstico não era pessimista. A sobrevida média dos portadores da doença é de dois a cinco anos, e apenas um quinto dos pacientes superam os cinco anos. Somente cinco por cento sobrevivem por mais de vinte anos, o que evidencia a longevidade extraordinária alcançada por Hawking. De fato, ele é possivelmente o paciente mais velho conhecido pela ciência com esse quadro. Como conseguiu viver por tanto tempo com a doença é um mistério, apesar de alguns especialistas acreditarem que os afetados pela doença na juventude (a idade média de diagnóstico é de 55 anos) se adaptam melhor de alguma forma.

SUBVERTA AS PROBABILIDADES

"Minhas expectativas foram reduzidas a zero quando eu tinha vinte e um anos. Desde então tudo foi um bônus."

STEPHEN HAWKING, CITADO NO *THE NEW YORK TIMES*, 2004.

A VIDA DE HAWKING já foi retratada na tela diversas vezes. Sua história é tal que, se não fosse verdade, seria acusada de forçar os limites da credibilidade. Um estudante talentoso, porém preguiçoso, é diagnosticado com uma doença terminal que gradualmente encarcera sua mente na prisão do próprio corpo. No entanto, movido por sua determinação inabalável, ele se estabelece como o cientista mais celebrado do planeta. Isso sem falar de sua vida particular, que, de uma forma ou de outra, não foi menos dramática.

Uma história de grande carga dramática – uma versão nerd de *Rocky*, com menos boxe e mais Física Teórica. No seu centro, um herói que enfrenta desafios extremamente intimidadores. Sim, a fama de Hawking advém de seu intelecto brilhante, mas é difícil imaginar que ele tivesse explorado esse intelecto da forma que fez, considerando os problemas pelos quais passou, se não fosse por sua determinação e coragem.

Já foi dito, com a devida justificativa, que às vezes sua determinação se manifesta de forma não muito nobre. Ele pode, como já mencionado, ter pavio curto, ser vingativo ao ponto da agressão e arrogante com colegas que ele considera intelectualmente inferiores. É, sem dúvida, particularmente ambicioso, raramente aceita se rebaixar, tem plena noção de seu valor e anseia por atrair as recompensas econômicas e mérito público quando ele acredita que seu trabalho mereça. Ainda assim, podemos nos perguntar, o quão longe sua estrela teria ido se ele não tivesse essa vontade inabalável, considerando o azar em sua vida logo no começo da carreira? Não muito longe, poderíamos concluir.

Quando ele foi diagnosticado com ELA, aos 21 anos, Hawking admite abertamente ter sentido autocomiseração. Qualquer outra resposta teria parecido quase antinatural. Era, ele pensava, completamente injusto, e ele se sentia traído por algo assim ter acontecido com ele. Após o baque em seu espírito, Hawking abraçou o trabalho e a vida com energia renovada. A cada derrocada na ficha médica, ele encontrou uma maneira de trabalhar com isso, criando espaço para seu intelecto realizar sua magia.

Como um indivíduo que sofreu sintomas que muitas pessoas considerariam insuportáveis, ele é convidado frequentemente para debates sobre eutanásia. Em termos gerais, ele defende o direito de qualquer indivíduo de encerrar sua vida se assim o desejar. No entanto, conforme noticiado no *People's Daily Online*, em 2006, sua posição é muito mais complexa. Apesar de apoiar o conceito de eutanásia voluntária, ele considera essa opção um "grande erro". "Não importa o quanto a vida pareça ruim", ele diz, "sempre há algo que você pode fazer e ter sucesso. Enquanto há vida, há esperança".

Ele tem, talvez, mais autoridade moral do que qualquer outra pessoa para fazer tal afirmação. Conforme os sintomas da ELA se tornaram mais agudos com o passar dos anos, ele seguiu desafiando a todos que o considerassem carta fora do baralho. Em uma viagem aos EUA nos anos 1960, sua fala se deteriorou rapidamente de forma que apenas os que o conheciam bem eram capazes de decifrar o que ele dizia. Para se comunicar, ele usava tradutores. Ao final da década, ele estava confinado em uma cadeira de rodas, e dependia de Jane em seu dia a dia. Quando sua situação piorou nos anos 1970, o casal contratou ajuda adicional em casa para que ele pudesse continuar trabalhando e manter sua vida pública.

Já nos anos 1980, ele quase morreu em uma visita à CERN na Suíça. Quando o marido foi acometido por um bloqueio na faringe e por pneumonia, Jane concordou que ele passasse por uma traqueostomia para salvar sua vida (procedimento em que um sistema de respiração é implantado em um orifício no pescoço), o que fez com que Hawking perdesse o pouco que restava de sua voz natural. Ele se recusou a se afastar da vida pública que havia construído para si, e em vez disso colaborou no desenvolvimento de uma nova tecnologia revolucionária. Um software de voz e controles remotos infravermelhos lhe permitiram controlar um equipamento elétrico, abrir e fechar portas, e vocalizar seus pensamentos pelo movimento da bochecha. Enquanto alguns teriam visto um fim de linha, Hawking usou sua condição para inspirar avanço científico (mas, apesar disso, recusou-se a alterar sua voz simulada, por reconhecer que o sotaque americano robótico utilizado originalmente se tornou sua marca registrada). Esteve à beira da morte algumas vezes, incluindo um episódio de grave deterioração da saúde em 2009, do qual se recuperou, para o assombro de seus médicos.

Hoje, provavelmente, ele é a pessoa deficiente mais reconhecida do mundo, um símbolo duradouro da esperança de que a capacidade pode superar a deficiência. Ele sabe que sua determinação foi a chave de suas conquistas. Entrevistado pela Rádio BBC 4 em 1992, ele observou: "Qualquer pessoa pode ser chamada de cabeça-dura. Eu prefiro dizer que sou determinado. Se eu não fosse bastante determinado, não estaria aqui agora".

MANTENHA O SENSO DE HUMOR

> "A vida seria trágica se não fosse engraçada."
> Stephen Hawking, citado no *The New York Times*, 2004.

Mesmo com muita boa vontade, a Física não é historicamente associada ao humor e ao sarcasmo. Apesar disso, é comum para aqueles que conhecem Hawking – e frequentemente esperam encontrar uma presença etérea – serem atingidos por seu senso de humor, que pode variar de autodepreciação ao sarcasmo ácido. Em uma entrevista de 2014 à revista *Vanity Fair*, Eddie Redmayne (que recebeu um Oscar por sua interpretação do físico em *A teoria de tudo*, e foi provocado por Hawking por não favorecer sua aparência) comenta:

> *O que predominou quando conheci [Hawking] foi seu sarcasmo afiado extraordinário e seu humor formidável. Há algo de molecagem, uma qualidade de garoto travesso que eu busquei capturar no tempo em que passei com ele, e tentei trazer isso para a atuação.*

Sob a imagem do intelectual de profunda seriedade, Hawking percebeu há muito tempo a importância de enxergar o lado divertido da vida. Na verdade, ele considera isso um fator muito importante para explicar sua inesperada longevidade, conforme conta em um especial para a rede PBS de televisão em 2014: "Manter a mente ativa tem sido vital para minha sobrevivência, bem como manter o senso de humor". É claro, Hawking enfrenta dificuldades práticas para soltar uma piada – evidenciado pela incapacidade de soltar comentários durante as frases alheias, pois o processo de construir uma frase em seu sintetizador de voz leva vários minutos. No entanto, quando ele consegue liberar seu malicioso senso de humor, é irresistível.

Por exemplo, uma de suas antigas enfermeiras lembra de uma inesperada reviravolta em sua entrevista quando se candidatou para trabalhar para ele. Recém-formada na escola de enfermagem, a moça estava em busca do primeiro emprego, e, sem surpresa, ficou encantada pelo homem de quem viria a cuidar. Ela ficou até tarde se preparando para a entrevista e, quando saiu para o compromisso, sentia-se o mais preparada possível, na expectativa de um denso interrogatório. Em vez disso, ele fez uma única pergunta: "Você sabe fazer ovo cozido?". Quando ela respondeu que sim, ele a contratou imediatamente. O inesperado revés a pegou de surpresa, mas quebrou o gelo entre eles.

Ele também não tem medo de fazer humor às próprias custas. Em diversas ocasiões, disse a estranhos que o reconheciam na rua que ele não era o Stephen Hawking verdadeiro, e que este era muito mais bonito. Em outras ocasiões, ele usou o sarcasmo para ser ofensivo. Em sua palestra "Is Everything Determined" ("Tudo é determinado?"), realizada no seminário do Sigma Club em Cambridge, em 1990, ele argumentou contra os que acreditam que toda existência é predeterminada, com uma observação engraçada e incisiva: "Eu reparei que mesmo as pessoas que alegam que tudo é predeterminado e não podemos fazer nada para mudar olham para o lado antes de atravessar a rua".

Existe um lado nele que simplesmente adora fazer piadas. Vimos, por exemplo, Hawking emprestar seus talentos de comediante para séries como *The Big Bang Theory*, *Futurama* e *Os Simpsons*. Quando foi levado para um passeio pelo set de *Jornada nas Estrelas* em 1993, ele viu o lendário sistema de "dobra espacial" da *Enterprise* (um sistema de propulsão hipoteticamente mais veloz do que a luz) e soltou: "Estou trabalhando nisso".

O humor tem sido uma ferramenta de troca, que lhe permite quebrar barreiras quando precisa falar em público. Vemos isso, por exemplo, em sua fala na Sydney Opera House em 2015, logo após o anúncio de um hiato na carreira da banda adolescente mais famosa do momento. Um membro da plateia apresentou a seguinte questão. "Para você, quais os efeitos cosmológicos da saída de Zayn [Malik] do One Direction, que está partindo os corações de milhões de adolescentes pelo mundo?" Hawking respondeu de súbito: "Finalmente, uma questão sobre algo importante". Então, deu a seguinte resposta:

> *Meu conselho para qualquer jovem garota de coração partido é prestar muita atenção nos estudos da Física Teórica, pois um dia pode ser que consigam provar a existência de múltiplos universos. Não seria impossível que, em algum lugar fora de nosso universo, exista um outro universo, no qual Zayn ainda esteja no One Direction.*

A surpresa que acompanha a ironia de Hawking é um sinal visível do preconceito em nossa sociedade. Genialidade, deficiência e bom humor costumam ser pensados como companheiros improváveis, mas, conforme disse sua filha Lucy à revista *Grazia*, em 2015:

> *As pessoas às vezes se esquecem de que os deficientes também têm personalidades. Eu gosto quando o senso de humor do meu pai vem à tona. Se for pensar no que ele passa para sobreviver no dia a dia, seu senso de humor provavelmente é o que o mantém vivo.*

OUÇA COMO HAWKING

"Música é muito importante para mim."
STEPHEN HAWKING, *DESERT ISLAND DISCS*, 1992.

Diante das grandes restrições físicas com que viveu, Hawking encontrou grande alento na música. De fato, na entrevista da qual retiramos a citação da abertura deste capítulo, ele descreve a Física e a música como seus "dois prazeres principais". Para começo de conversa, ele pode explorar o fascínio de ambas com a mente, tornando assim irrelevantes suas limitações físicas. No entanto, enquanto a Física acelera sua mente, a música serve de escape e pode ser apreciada em um contexto de muito menos pressão.

Ele é particularmente fã de ópera e música clássica, e aprecia ocasionalmente a música pop também. Em uma entrevista "Pergunte-me qualquer coisa", no Reddit em 2015, ele citou sua canção favorita como sendo "Have I Told You Lately", de Rod Stewart – um prazer secreto que certamente não é só seu. Na juventude, ele era um ávido ouvinte das Vinte Mais na rádio Luxembourg nas tardes de domingo, em especial um grande fã dos Beatles, que eram "como um sopro de ar fresco, em oposição ao azedume doentio do cenário pop".

No entanto, ele geralmente é encontrado ouvindo algo mais sisudo. Em seu aniversário de cinquenta anos, por exemplo, ele ganhou a obra completa de Mozart em CD – somando mais de duzentas horas de música. Quando apareceu no *Desert Island Discs* – programa de rádio que pede que os convidados criem uma lista com oito músicas que gostariam de ter consigo na eventualidade de ficarem presos em uma ilha deserta –, Hawking invocou sua coleção de Mozart, o *Requiem* de beleza assombrosa, que permaneceu inacabado com a morte do compositor. Também incluiu o Quarteto de Cordas n. 15 em A menor, Op. 132, de Beethoven (1770-1827). Tal como a estrela de Hawking brilhou apesar do surgimento de uma deficiência na vida adulta, Beethoven produziu alguns de seus melhores trabalhos depois de ser afligido pela surdez, condição que muitos esperariam ter encerrado sua carreira. Os outros clássicos na lista de Hawking são o Concerto de Violino em D maior, de Johannes Brahms (1833-97), e *Gloria*, de Francis Poulenc (1899-1963).

Em termos de compositores de ópera, Hawking é um fã confesso, dentre outros, de Christoph Gluck (1714-87) – cujo trabalho mais celebrado é *Orfeo ed Erudice*; Giuseppe Verdi (1813-1901) –, cujas óperas incluem referências do gênero como *Aida*, *Rigoletto*, *Il trovatore* e *La traviata*; e Giacomo Puccini (1858-1924). Esse último encontrou seu lugar na lista da ilha deserta com "O Principe, che a lunghe carovane", de sua última ópera, *Turandot*.

Dentre todos os grandes compositores de ópera, ele talvez seja mais profundamente apegado a Richard Wagner (1813-83), cujas peças imersivas e ricamente texturizadas – como já mencionado – foram companhia importante para Hawking nas semanas e meses que seguiram seu diagnóstico de ELA. Wagner foi, de acordo com Hawking, "alguém que refletia os humores sombrios e apocalíticos em que eu me encontrava".

HAWKING E WAGNER

Coincidentemente, Wagner teria um papel em outro período de incerteza médica de Stephen Hawking. Em 1985, o físico se preparava para viajar e assistir à obra magna do compositor, o ciclo *O Anel do Nibelungo*, no lar espiritual de Wagner, na

Alemanha – Bayreuth –, quando foi acometido por uma doença que quase o matou e o fez passar por uma traqueostomia. Esses eventos, no entanto, não fizeram diminuir seu respeito por Wagner, cuja obra *As Valquírias*, segunda no ciclo do *Anel*, figura em sua lista de discos favoritos para a ilha deserta.

Quanto a cantores de ópera, Hawking é conhecido por ser um admirador de Angela Gheorghiu, a soprano romena que iniciou sua carreira em 1990 e já maravilhou audiências na Metropolitan Opera de Nova York, na Royal Opera House de Londres e até no La Scala de Milão. Também é válido notar que Hawking incluiu a cantora francesa Édith Piaf (1915-1963) e sua canção mais famosa, de 1959, "Non, je ne regrette rien" ("Não me arrependo de nada") entre as faixas que levaria para sua ilha deserta. Sem dúvida, a letra desafiadora da canção, na voz da trágica cantora, mexe com o físico, que já enfrentou diversas tribulações em sua vida.

DUAS CABEÇAS PENSAM MELHOR DO QUE UMA

"A fala permitiu a comunicação das ideias, tornando os humanos capazes de trabalhar juntos para construir o impossível."

STEPHEN HAWKING, PROPAGANDA DA BRITISH TELECOM, 1993.

Apesar de Hawking servir de exemplo de brilhantismo individual, ele geralmente trabalha em uma atmosfera colegiada e forja fortes alianças com parceiros acadêmicos. Muitos de seus trabalhos mais importantes, como será demonstrado, surgiram de colaborações formais.

Ele começou essa tradição bem cedo, liderando seu grupo de amigos na escola em aventuras científicas e filosóficas. A trupe levantava ideias entre si, que geralmente refletiam interesses juvenis, e foi altamente influente para aproximar Hawking das áreas que verdadeiramente despertavam sua imaginação. Era, para completar, um encontro genuíno de mentes, capaz de forjar laços permanentes de amizade. Hawking conseguiu manter contato com a maior parte do grupo de seis ou sete camaradas ao longo da vida adulta.

Embora tenha sido acusado por alguns dos que o conheceram na vida adulta de ser muito distante (impressão sem dúvida exagerada por seus problemas de comunicação), ele sempre foi adepto de fazer amizades. Figuras como Kip Thorne (veja a seção "Unindo forças" deste capítulo) são, sem dúvida, almas gêmeas tanto quanto valorosos pares intelectuais. Se por um lado a caracterização de Hawking como "uma mente presa em um corpo" conjura a imagem de um espírito solitário e isolado, a realidade de sua vida corrobora a colocação de John Donne de que "nenhum homem é uma ilha".

Na época em que iniciou seus estudos em Cambridge, ele não se deixou iludir pensando que as enormes questões e enigmas que buscava resolver pudessem ser desvendados por uma pessoa sozinha, não importava o quão genial a pessoa fosse. Como se torna evidente na lista de colaboradores a seguir, Hawking se alegrava em trabalhar com quem quer que pudesse ajudá-lo a progredir em sua pesquisa. Isso, no entanto, não deve sugerir que se interessasse por trapaceiros ou apenas pelos que viam o universo da mesma forma que ele. Veja, por exemplo, sua amizade com Martin Rees (hoje barão Rees de Ludlow), um contemporâneo próximo que também estudou sob a orientação de Dennis Sciama e serviu como Mestre no Trinity College, em Cambridge, Presidente da Real Sociedade e Astrônomo Real.

Os dois travaram embates ocasionais, como em 2011, quando Rees comentou as recentes declarações de Hawking sobre a existência de Deus. Rees disse: "Stephen Hawking é uma pessoa marcante que eu conheço há quarenta anos [...]. Eu o conheço o suficiente para saber que ele leu muito pouco de filosofia e ainda menos de teologia, então não acho que devemos dar valor algum a seus posicionamentos sobre o assunto". Foi um grande ataque a um homem que poucos têm confiança o suficiente para desafiar, especialmente em público. Ainda assim, sua amizade sobreviveu, tanto que Rees escreveu uma celebração sobre a vida de Hawking na revista *New Statesman*, intitulada "A vida de Stephen Hawking é um triunfo do intelecto sobre a adversidade".

Novamente, os ecos de Einstein ressoam na vida pessoal de Hawking. Enquanto o mundo adora contar histórias de gênios solitários, a verdade é que o verdadeiro intelecto costuma florescer quando acompanhado. Einstein, por sua vez, passou a vida trocando ideias com o amigo Michele Besso, e se valendo das habilidades matemáticas de outro parceiro de longa data, Marcel

Grossmann, enquanto formulava sua teoria geral. Em 1902, ele fundou um grupo de reuniões com seus pares e amigos, a Akademie Olympia, enquanto vivia na Suíça. Hawking, por sua vez, raramente se privou de ruminar os assuntos cosmológicos com seus pares tanto na vida pública quanto na particular.

Houve outras vantagens práticas em Hawking manter contato com seus contemporâneos. No mínimo, ao manter abertos os canais de comunicação ele pôde coletar e reunir informações úteis entre o meio acadêmico altamente competitivo. Foi, por exemplo, a amizade que manteve com Jayant Narlikar, que lhe permitiu desafiar publicamente os argumentos de Fred Hoyle na Real Academia, ato que, para alguns, deu visibilidade pública a Hawking.

Até hoje, o escritório de Hawking no Departamento de Matemática Aplicada e Física Teórica em Cambridge tem a reputação de ser um lugar altamente social, onde o compartilhamento de ideias é encorajado positivamente. A convenção exige que os membros da faculdade tirem uma pausa para o café da manhã e para o chá da tarde, abrindo espaço para a disseminação das ideias mais recentes e para um bate-papo. Quando a comunicação floresce, todos se beneficiam, de Hawking aos mais novos. Ele explica isso em uma entrevista de rádio em 1992:

> *Acho que sou naturalmente introvertido [...], mas era muito falante quando menino. Preciso discutir com os outros para me estimular. Considero de grande ajuda no meu trabalho descrever minhas ideias para os outros. Mesmo que eles não ofereçam sugestões, o simples fato de precisar organizar meus pensamentos para apresentar a alguém já me mostra um novo caminho a seguir.*

A importância do diálogo é um tema que ele revisitou amplamente ao longo dos anos. Considere suas palavras em uma propaganda para a firma BT de telecomunicações em 1993 (e se maravilhe com sua capacidade de encontrar palavras de tamanha profundidade em um contexto tão incongruente):

As grandes conquistas da humanidade vieram pela fala, e suas grandes falhas pela ausência de comunicação. Não precisa ser assim. Nossas maiores esperanças podem se tornar realidade no futuro. Com a tecnologia à nossa disposição, as possibilidades são ilimitadas. Tudo o que precisamos fazer é continuar falando.

UNINDO FORÇAS

"Ele sempre teve uma habilidade incrível de entender as coisas na sua cabeça, mas geralmente trabalhava com colegas que escreviam fórmulas em um quadro; então ele as encarava e dizia o que deveria vir em seguida."
Martin Rees, *New Statesman*, 2015

Aqui, em ordem alfabética, está uma seleção dos colaboradores mais influentes da carreira de Hawking.

James Bardeen (nascido em 1939, nos EUA). Cursou seu Ph.D sob a orientação de Richard Feynman no Instituto de Tecnologia da Califórnia (Caltech). Em 1973, Bardeen, Hawking e Brandon Carter definiram as quatro leis da mecânica de buracos negros e elucidaram suas similaridades com as já estabelecidas leis da termodinâmica. A lei mais importante dos buracos negros dita que a força da gravidade é igual em todos os pontos dentro do horizonte de eventos.

Brandon Carter (nascido em 1942, na Austrália). Foi um colega de Hawking sob a supervisão de Dennis Sciama em Cambridge. Com Hawking, Carter ajudou a provar o famoso teorema da calvície em buracos negros, que dita que buracos negros são definidos por três características: massa, carga e *spin*. Junto a Hawking e a James Bardeen, ele também ajudou a formular as quatro leis da mecânica de buracos negros.

George Ellis (nascido em 1939, na África do Sul). Como Hawking, Ellis teve seu Ph.D orientado por Dennis Sciama. Hawking e Ellis trabalharam em parceria por toda a segunda metade dos anos 1960 e início dos 1970, estudando singularidades e questões fundamentais do espaço-tempo. Sua colaboração mais celebrada, *The Large Scale Structure of Space-Time*, foi publicada em 1973. A obra continua em catálogo até hoje e foi descrita pelo próprio Hawking como "praticamente a última palavra na estrutura causal do espaço-tempo", embora seja altamente técnica, motivo pelo qual ele "desaconselha o leitor médio a tentar consultá-la".

Gary Gibbons (nascido em 1946, no Reino Unido). Originalmente outro pesquisador sob a tutela de Dennis Sciama no final dos anos 1960, tornou-se orientando de Hawking em 1969. Após completar seu Ph.D sobre a relatividade geral clássica, ele voltou sua atenção para a gravidade quântica e para os buracos negros. Com Hawking, desenvolveu o sistema euclidiano de gravidade quântica, que permitiu reimaginar o tempo como uma quarta dimensão espacial. O trabalho pavimentou o caminho para rápidos desenvolvimentos do entendimento da termodinâmica de buracos negros. Mais recentemente ele liderou a pesquisa mundial sobre a teoria das cordas e sobre a teoria M.

James Hartle (nascido em 1939, nos EUA). Um associado de longa data à Universidade da Califórnia, em Santa Bárbara, cujo trabalho mais famoso junto com Hawking foi conduzido na Universidade de Chicago, em 1983. Foi lá que a dupla trabalhou na solução da ausência de fronteiras, que ajudou a redefinir a percepção cosmológica das condições iniciais do Big Bang.

Thomas Hertog (nascido em 1975, na Bélgica). Hertog se graduou em Física na Universidade de Lovaina, em seu país, antes de cursar o mestrado em Cambridge. Lá encontrou Hawking, e a dupla iniciou pesquisa conjunta sobre a inflação cósmica. Hertog acabou se mudando para a Universidade da Califórnia, em Santa Bárbara, e posteriormente para a CERN. Foi lá que em 2006 ele e Hawking publicaram seu influente modelo cosmológico "de cima para baixo". Essa colaboração continua ativa, agora buscando novas aplicações práticas para o modelo da ausência de fronteiras de Hawking e Hartle.

Werner Israel (nascido em 1931, na Alemanha). Um dos principais teóricos de sua geração no campo de Física Gravitacional e dos buracos negros. Coeditou dois volumes com Hawking – *General Relativity: An Einstein Centenary Survey*[3] (1979) e *300 Years of Gravitation*[4] (1987).

Leonard Mlodinow (nascido em 1954, nos EUA). É um respeitado físico, autor e roteirista que colaborou com Hawking em dois livros: *Uma nova história do tempo* (2005) e *O grande projeto* (2010).

Don Page (nascido em 1948, nos EUA). Cursava Ph.D no Caltech quando Hawking esteve lá nos anos 1970. Hawking e Kip Thorne supervisionaram sua tese "Accretion into and Emission from Black Holes" ("Acreção e emissão de buracos negros"). Foi posteriormente assistente de pesquisa de Hawking. Ao longo das décadas seguintes, trabalharam juntos em diversos artigos acadêmicos. Os temas incluíam entropia, buracos de minhoca, inflação, termodinâmica de buracos negros e gravidade quântica.

Malcom Perry (nascido em 1951, no Reino Unido). Como Hawking, Perry se graduou em Oxford antes de entrar em Cambridge. Esteve sob a asa de Hawking no final da década de 1970, recebendo seu Ph.D pelo trabalho com buracos negros e teoria quântica. Subsequentemente colaborou com Hawking e Gary Gibbons, contribuindo para o desenvolvimento da gravidade quântica euclidiana e prosseguindo com uma pesquisa sobre a radiação de buracos negros. Passou vários anos na Universidade de Princeton, nos EUA, mas retornou a Cambridge em 1986 e lá permaneceu, onde se tornou uma autoridade mundial em teoria das cordas e teoria M. Ele e Hawking continuam trabalhando juntos academicamente, e Perry serve de gestor da Fundação Stephen Hawking. (A instituição foi fundada em 2015 com o triplo objetivo de apoiar pesquisas futuras em Cosmologia, Astrofísica e Física de Partículas Fundamentais, em nível escolar e universitário, apoiar os portadores

---

3 "Relatividade geral: um estudo no centenário de Einstein", não editado no Brasil. (N.E.)
4 "Trezentos anos de gravitação", não editado no Brasil (N.E.)

de ELA, e desenvolver pesquisa e contribuição para uma vida melhor dos portadores de ELA).

Roger Penrose (nascido e 1931, no Reino Unido). Tendo recebido seu doutorado da Universidade de Cambridge em 1957, Penrose ministrou sete anos depois a palestra que, de certa forma, revolucionaria a vida acadêmica do jovem Hawking. Os dois acabaram trabalhando juntos em singularidades de buracos negros e, nos anos 1970, publicaram uma série de teorias inovadoras que buscavam explicar a relação entre singularidades e colapso gravitacional na teoria geral de Einstein. Os dois receberam juntos inúmeros prêmios internacionais por seu trabalho, e escreveram em parceria *A natureza do espaço e do tempo* (1996) e *O grande, o pequeno e a mente humana* (com Abner Shimony e Nancy Cartwright, 1997). No entanto, Penrose tem criticado parte do trabalho de Hawking, especialmente a defesa da teoria M, sobre a qual comentou que "não chega a ser ciência", mas apenas "uma coleção de esperanças, ideias e aspirações".

John Stewart. Stewart, um aluno de doutorado de George Ellis (veja o item "George Ellis" nas páginas 108-109), é um colega de Hawking no Departamento de Matemática Aplicada e Física Teórica em Cambridge. Juntos, produziram um aclamado artigo em 1993, que introduziu a ideia de "singularidades relâmpago". A dupla se dispôs a investigar a natureza das curiosas "singularidades nuas" – em outras palavras, singularidades que existem sem um horizonte de eventos. A questão sobre a possibilidade da existência de singularidades nuas na realidade permanece controversa para muitos cientistas. No entanto, Stewart e Hawking se mantêm convictos de que, em teoria, certas singularidades nuas (apelidadas de singularidades relâmpago), podem começar a se expandir à velocidade da luz no instante de seu nascimento, destruindo tudo em seu caminho.

Kip Thorne (nascido em 1940, nos EUA). Um dos principais astrofísicos do mundo, Thorne trabalhou originalmente ao lado de Hawking no Caltech em meados dos anos 1970. Na realidade, a oportunidade de trabalhar com ele foi um dos fatores principais que levaram Hawking a ir para o Caltech. Em 1975, a dupla fez uma das maiores apostas da ciência moderna. Cerca de uma década antes, um fenômeno astronômico conhecido como Cygnus X-1 foi descoberto na galáxia de Cygnys, emitindo raios X, que sugeriam que pudesse ser um buraco negro. Thorne se manteve convicto de que era, enquanto Hawking apostava que não. Hawking estava em cima do muro, pois, por um lado, desejava sinceramente que fosse verdade; mas, por outro, se provasse o contrário estaria em vantagem sobre seu colega. Hawking admitiu derrota na aposta em 1990, para satisfação de ambos, presenteando Thorne com uma assinatura da revista *Penthouse* como prêmio (para o desconforto declarado da sra. Thorne). Esta amizade continua prolífica; Thorne é um dos gestores da Fundação Stephen Hawking.

Neil Turok (nascido em 1958, na África do Sul). Diretor do Instituto Perimetral de Física Teórica, em Ontário, Canadá, seu trabalho com Hawking nos anos 1990 resultou na teoria Hawking-Turok do instanton e num modelo que permite a inflação com uma estrutura de universo aberto. Como Thorne, Turok também fez uma famosa aposta com Hawking. Em 2002, Hawking apostou com ele que os cosmólogos descobririam ondas gravitacionais, provando assim a teoria da inflação. A aposta parece ter sido vencida por Hawking, quando, em setembro de 2015, o Observatório de Ondas Gravitacionais por Interferômetro Laser (LIGO) conseguiu gravar essas ondas pela primeira vez.

MESMO UM INTELECTO BRILHANTE PRECISA DE APOIO EMOCIONAL

"Eu não poderia seguir com a minha vida se eu só tivesse a Física. Como todo mundo, preciso de atenção, amor e afeto."

STEPHEN HAWKING, *BURACOS NEGROS, UNIVERSOS-BEBÊS E OUTROS ENSAIOS*, 1993.

É FÁCIL IMAGINAR HAWKING como uma figura praticamente de outro mundo, sentado em sua cadeira dia e noite, processando equações incrivelmente longas e mapeando cantos do universo que a maioria de nós mal sabe por onde começar a compreender. No entanto, a imagem de Hawking como cientista não deve obscurecer seu lado humano. Muito além da mente extraordinária de sua época, ele é uma figura humana bastante complexa, que compreende um grande leque de paixões e interesses, e também lida com grandes solavancos emocionais os quais todos entendemos. Hawking é uma grande figura pública por suas contribuições para a Física, mas não podemos nos esquecer de que suas conquistas na disciplina representam apenas uma parte do homem.

Já observamos o lugar importante da música em seu coração, e ainda veremos como ele se interessa profundamente por política, literatura, cinema e televisão. Apreciou também alguns esportes: praticou remo e ciclismo antes que a deficiência o afastasse desses prazeres, e também já declarou suas preferências por comidas e bebidas (sua bebida favorita na juventude era o xerez; já *curry*, trufas de chocolate, e acima de tudo, *crème brûlée* são garantias de estímulo a seu paladar). Seus variados interesses sugerem uma figura que responde emocionalmente ao mundo a seu redor e que busca o prazer além do que obtém com seu trabalho.

Enquanto uma bela música e uma caixa de chocolate às vezes são exatamente do que uma alma cansada precisa, nada se compara ao suporte emocional que se pode conseguir nas relações interpessoais. Apesar da intensa dedicação ao trabalho, Hawking também teve uma vida pessoal rica e por vezes tempestuosa. Entre suas descobertas cosmológicas, podemos concluir que ele descobriu há muito tempo que o amor faz o mundo girar. De fato, os dois casamentos de Hawking foram de importância muito mais duradoura do que qualquer outro prazer temporário. A transição de seu primeiro casamento (com Jane), para o segundo (com Elaine Mason), e por fim o colapso de seu segundo casamento, trouxeram um nível de escrutínio à sua vida pessoal que o pegaram despreparado e o deixaram insatisfeito. Esses relacionamentos serão vistos com mais detalhes na seção "Uma breve história de casamento e divórcio" (página 117), mas por hora é suficiente dizer que ele considera ambos (e a família resultante do primeiro casamento) como conquistas em sua vida que figuram ao lado de seu trabalho em Cosmologia.

BOBÃO POR UM ROSTINHO BONITO

Em inúmeras entrevistas, Hawking alegremente reconhece seu amor por mulheres, ao mesmo tempo em que elas permanecem um enigma indecifrável para ele. Em resumo, ele sempre foi bobão por um rostinho bonito, desde que Marilyn Monroe habitava seus pensamentos adolescentes (uma sósia da atriz chegou a ser contratada para cortar o bolo na comemoração de seu aniversário de sessenta anos). Mais recentemente, foi reportado que ele desfruta da atenção de belas anfitriãs em certos clubes londrinos, fato comentado pelo infame proprietário de um dos clubes, Peter Stringfellow, em 2011: "Ele é um homem que vive aprisionado em seu cérebro e, ainda assim, consegue sentir o poder arrebatador do sexo".

Atualmente, Hawking vive sozinho e emprega uma funcionária para cuidar dos afazeres domésticos. Construiu laços com a família de seu primeiro casamento, e conforme envelhece, tornou-se mais calmo e acostumado à vida privada. Esse aspecto de sua vida nem sempre foi feliz, e seu comportamento por vezes feriu as pessoas mais próximas. Enquanto ele conquistava o mundo, as pessoas que ele amava eram obrigadas a fazer sacrifícios extraordinários por ele. Ainda assim, há algo de admirável na forma com que Hawking – cujos impedimentos físicos são tão opressivos, e o nome tão associado à razão e à racionalidade – permitiu que a paixão (com toda a conotação positiva e negativa) se emaranhasse no tecido de sua vida.

Quando Hawking é questionado (regularmente por entrevistadores) se há algum mistério que ainda o intriga, sua resposta pronta é "as mulheres". Elas são, ele confidenciou à *New Scientist* em 2012, o assunto que toma mais tempo de sua mente. Hawking será lembrado como um gigante da ciência, e é reconfortante saber que tal intelecto tão sofisticado requer o mesmo tipo de conforto emocional que o restante de nós. O fato de ele também ser tão suscetível a erros em seus relacionamentos sugere uma fragilidade humana que passa despercebida na maior parte das vezes.

UMA BREVE HISTÓRIA DE CASAMENTO E DIVÓRCIO

> "Sem a ajuda de Jane, eu não teria sido capaz de seguir em frente nem teria vontade para tanto."
> Stephen Hawking, citado em *Stephen Hawking: aventuras de uma vida*, Kitty Ferguson, 2011.

Hawking não tem medo de fazer declarações impetuosas, e talvez não devamos ter medo de fazer o mesmo. Uma dessas, indiscutivelmente, é a de que sem os esforços de sua primeira esposa, Jane, Hawking não teria construído a carreira que tem hoje.

O casal se encontrou pela primeira vez em uma festa de Ano-Novo, para celebrar a chegada de 1963. Isso foi antes de Hawking ser diagnosticado com ELA, mas após o surgimento dos primeiros sintomas. Ela era mais nova do que ele e planejava estudar línguas modernas no Westfield College da Universidade de Londres. Esperta e autoconfiante, ela foi atraída não só pela óbvia inteligência de Hawking, mas também pela sensação de que havia "algo perdido" nele.

O relacionamento floresceu rapidamente, e Hawking descobriu que fazer parte de um time e ter outra pessoa contando com ele estimulava seu trabalho. No entanto, seu recém-descoberto foco na carreira não veio sem um preço. Para fazer avanços significativos em seu campo – buracos negros e Cosmologia – ainda incipiente, era exigida dedicação incansável. Se por um lado seus motivos para dar o melhor de si eram altruístas, a realidade do trabalho no cotidiano exigia um alto nível de compenetração. Além disso, ele descobriu que realmente gostava de se entregar ao trabalho.

Nesse começo, Jane estava satisfeita com a situação. Recém-saída da escola, ela começou sua graduação em Londres e, no tempo que restava, aproveitava os fins de semana e feriados com Hawking. Além disso, o diagnóstico de Hawking deixara ambos sob a impressão de que sua vida juntos seria provavelmente curta. Todo momento era de imenso valor e ela planejava curtir cada segundo.

Havia sinais precoces, no entanto, de que o casal encontraria problemas pela frente. Por exemplo, em 1965, Hawking decidiu se candidatar para um posto no Gonville e Caius College, em Cambridge. Ele e Jane estavam noivos, e o cargo daria a ambos mais segurança. No entanto, ele já tinha dificuldades para escrever na época, por isso contava com a ajuda de Jane para preencher sua candidatura. Na semana anterior à visita planejada, ela quebrou o braço. Hawking teve, como ele mesmo admite, uma distinta falta de empatia; em vez disso, comiserou-se pelas repercussões do ocorrido para si mesmo. Por fim, Jane conseguiu redigir manualmente a candidatura, que foi datilografada posteriormente por outro amigo. Hawking, não é preciso lembrar, conseguiu a vaga.

Eles se casaram naquele ano, e seu primeiro filho, Robert, nasceu em 1967. Três anos depois, tiveram uma menina, Lucy. Logo começou a ficar difícil para Jane. Tinha duas crianças pequenas para cuidar, e as necessidades de seu próprio marido se tornavam cada vez maiores. Eles conseguiram mais ajuda aumentando a frequência das enfermeiras, e contavam com o apoio de assistentes acadêmicos de Hawking, que moravam com eles e os ajudavam em tarefas domésticas. Ela, no entanto, sentia falta da privacidade que tinham antes, e começou a se sentir deslocada conforme a carreira de Stephen atingia novos patamares. A chegada de um terceiro filho, Timothy, em 1979, serviu para sobrecarregá-la ainda mais, embora fosse uma adição muito amada à família.

Como ela contaria ao *Telegraph* em 2015: "Às vezes, a vida era tão terrível, tão física e mentalmente exaustiva, que eu queria me atirar no rio – mas é claro, eu me controlava por causa das crianças". Em uma entrevista no mesmo ano ao *The Guardian*, ela falou mais das dificuldades que encontrou: "A verdade é que nosso relacionamento não era de casal, e sim de quarteto: Stephen, eu, a Física e a doença motora. Se você retirar a doença da conta ainda sobra a Física". Ela também apontou outra ressonância da vida de Einstein na de seu marido: "Sabe, a sra. Einstein citou a Física como razão de seu divórcio [...]".

Com a ascensão da carreira do marido nos anos 1980, Jane se sentia cada vez mais aprisionada em sua existência e distante de seu celebrado marido. "A fama e a fortuna dificultaram as coisas e o retiraram da órbita de nossa família", ela contou ao *Observer* em 2004. É o mesmo sentimento, dito de forma menos sutil por sua filha Lucy, conforme citado em artigo da *Vanity Fair* no mesmo ano: "Eu cuidava dele desde cedo, quando ele não era rico nem famoso. Todos fazíamos, porque o amávamos. No minuto em que ele ficou famoso e teve dinheiro, desapareceu". Nas palavras de Jane, seu marido tinha se tornado um "imperador todo-poderoso" e um "grande controlador".

No final dos anos 1980, o casamento tinha efetivamente se dissolvido. Logo após o nascimento de Tim, Jane convidou um organista da igreja local, Jonathan Hellyer Jones, para se mudar para a casa dos Hawking. Para Jane, era algo como uma apólice de seguros, caso algo acontecesse a Stephen. Ela conta que o arranjo era platônico no início, e que o marido aceitou tacitamente. Ele, no entanto, sugere que se sentiu incapaz de contestar, mas se ressentia da proximidade entre os dois. Enquanto isso, ele mesmo se apaixonou por uma de suas enfermeiras, Elaine Mason, casada com o homem que ajudou Hawking a fazer diversas adaptações a seus computadores para que pudesse operá-los de sua cadeira.

Em 1990, Hawking pediu um tempo do casamento e foi morar com Elaine. Stephen e Jane se divorciaram em 1991 e ele se casou com Elaine quatro nos depois. Da mesma forma, Jane se casou com Jonathan em 1995. A ex-sra. Hawking e Stephen mal se falavam, e a relação dele com as crianças não era melhor. Enquanto isso, as desventuras de sua vida doméstica passaram a habitar o imaginário da imprensa popular. Súbito, o reverenciado gênio viu sua vida exposta em tabloides.

Inerentemente protetor de sua privacidade, Hawking considerou difícil lidar com a intrusão, mas o pior estava por vir. Em 2000, ele e Elaine estiveram no centro de uma investigação policial sobre alegações – baseadas em declarações de uma enfermeira anônima da equipe – de que sua esposa abusava dele. Sua filha, Lucy, fui uma das que contatou a polícia, solicitando que investigassem uma série de ferimentos físicos inexplicados, isso sem falar nas acusações de abuso emocional.

Hawking ficou furioso ao ver sua vida privada exposta tão publicamente. "Eu nego inteira e completamente as alegações de ter sido agredido", disse ele em uma declaração em 2000. A polícia não conseguiu encontrar evidências para fundamentar as acusações. Ele e Elaine se divorciaram em 2006, mas ele nunca sugeriu que ela fosse culpada de algum abuso. A relação deles, Stephen conta, era "apaixonada e tempestuosa", e tinha seus "altos e baixos", mas ele ainda a agradece por ter salvo sua vida em diversas ocasiões quando sua saúde parecia se deteriorar.

Após se divorciar de Elaine, a relação de Stephen, Jane e seus filhos melhorou consideravelmente (tanto que ele e Lucy escreveram juntos uma série de livros. Veja o capítulo "Escreva como Hawking"). Isso é refletido no livro de Jane, de 2007, sobre sua vida juntos, *A teoria de tudo,* no qual o filme de mesmo nome foi baseado. Era uma revisão de um livro anterior, de 1999, *Music to Move the Stars: A Life With Stephen*,[5] na qual muito da crueza presente no primeiro trabalho claramente desapareceu. O jornal *Independent on Sunday* o descreve da seguinte forma: "Não é um livro vingativo, apesar de ser perceptível a agonia pela qual ela passou; se a batalha de Stephen para manter a mente lúcida é heroica, também é a determinação dela em balancear as necessidades crescentes do marido com as de seus três filhos".

Apesar de nem sempre ter sido bonita, a história conjugal de Hawking reflete uma vida complexa e rica, que afasta a ideia popular de um gênio calmo em um corpo aleijado.

---

5 "Música para mover as estrelas: uma vida com Stephen", não editado no Brasil. (N.E.)

CARREIRAS SÃO CONSTRUÍDAS, NÃO NASCEM PRONTAS

"A ciência é uma batalha na multidão. A maioria de nós trabalha nessa batalha. Stephen, pela natureza de sua deficiência, não pode batalhar na multidão."

Bernard Carr, professor de Matemática e Astronomia na Queen Marp, Universidade de Londres, e antigo orientando de Hawking, entrevistado pelo *The Guardian*, 2008.

Enquanto ocorre o debate acalorado sobre como exatamente o universo começou, de uma coisa podemos ter certeza: carreiras não surgem espontaneamente. E com certeza não passam por fases de súbita expansão rápida. Uma carreira de sucesso requer diversos ingredientes: uma pitada de talento natural, uma boa ética de trabalho e o devido alinhamento das estrelas, por exemplo. Igualmente importante, contudo, é um pouco de estratégia.

O jovem Hawking alimentava ambições de fazer coisas extraordinárias, mas somente ao final de seu tempo em Oxford (e com a entrada em cena de Jane Wilde), que ele começou a levar isso a sério. Quando teve que escolher o tema de seu Ph.D, ele se aproximou da Cosmologia não apenas por seu interesse, mas por perceber uma incrível área negligenciada às vésperas de fazer avanços impressionantes. Ele sentiu que haveria uma festa cosmológica e queria estar na lista de convidados. Na escolha de onde estudar, ele foi certamente influenciado pela oportunidade de trabalhar sob a tutela de um dos grandes nomes do campo à época, Fred Hoyle. Por injunção do destino, acabou orientado por Dennis Sciama (alguém que, afinal, estava mais próximo de seus reais interesses), e isso demonstra como o sucesso também precisa de uma dose de sorte.

O instinto de trabalhar nos lugares certos com as pessoas certas tem sido fundamental na carreira de Hawking. Como fica evidente na listagem anterior de suas diversas colaborações, ele trabalhou junto com os grandes nomes da Física dos últimos sessenta anos, começando com Sciama e Roger Penrose. Isso não é algo que acontece exclusivamente por acaso, mas é resultado de uma boa estratégia. Ele se mantém rodeado de outros intelectos brilhantes capazes de tirar o melhor dele, da mesma forma como ele os estimula.

Enquanto seu lar espiritual se manteve no Departamento de Matemática Aplicada e Física Teórica de Cambridge durante boa parte da vida, ele teve passagens por outras grandes instituições, quando se fez necessário para suas metas de carreira. Em 1974, por exemplo, mudou-se com sua jovem família para a Califórnia, para estudar no Caltech, financiado pela bolsa de mérito acadêmico Sherman Fairchild. Lá encontraria mentes brilhantes como Richard Feynman e Kip Thorne. Foi um movimento arriscado, mas necessário, que acabou se provando espetacularmente acertado.

O Caltech ofereceu os cuidados de que ele precisava com a deterioração de sua saúde (era notável que a instituição estivesse em melhores condições de fazê-lo do que as autoridades em Cambridge), e deu à sua família a chance de experimentar o sonho americano. Acima de tudo, ajudou a consolidar sua reputação crescente no cenário acadêmico internacional. O Caltech, afinal, já produziu mais de trinta laureados pelo Prêmio Nobel, apesar de seu contingente relativamente pequeno. No retorno a Cambridge, Hawking foi recebido como um herói voltando para casa. Os impactos práticos disso incluíram melhorias no arranjo doméstico, e a universidade apoiou a família com acomodações maiores e mais apropriadas.

Hawking sempre foi visceral no que diz respeito a suas necessidades pessoais para que ele possa trabalhar da forma mais eficiente. Ele aceita a ajuda que solicita, informa quando não é atendido e se recusa se martirizar e a sofrer em silêncio. Suas conquistas, ainda que extraordinárias, não teriam sido possíveis se ele não soubesse buscar ajuda onde quer que estivesse disponível. Isso se torna claro em seu desejo de utilizar tecnologia de ponta para tornar a vida cotidiana mais fácil; do computador adaptado à sua cadeira, o qual permite que ele opere equipamentos eletrônicos, ao sintetizador de voz que ajudou a moldar sua figura pública. Um grande custo pessoal veio da aceitação de ajudantes morando em sua casa do final dos anos 1970 em diante, quando sua família se tornou incapaz de cuidar dele sozinha. Hawking se deixou levar, empregando uma sucessão de alunos pesquisadores para assisti-lo, começando com Bernard Carr. Eles o ajudavam com suas tarefas domésticas cotidianas e, em retorno, como disse o próprio Carr, podiam "fazer parte da história". Assim, Hawking transformou uma delicada situação em um cenário onde todos se beneficiavam.

Apesar de ter passado apenas um ano na Califórnia, Hawking manteve laços próximos com o instituto e seus pesquisadores mundialmente renomados desde então. Também manteve a seu alcance outras instituições, como a Organização Europeia de Pesquisa Nuclear (CERN), na Suíça. Lar do Grande Colisor de Hádrons, é indiscutivelmente o centro de pesquisa em Física de Partículas mais importante do mundo, e apesar de Hawking nunca ter feito parte da equipe, ele a visita frequentemente para se manter atualizado nas ideias mais recentes surgidas lá. Enquanto isso, em 2008, aceitou a cátedra de Distinto Pesquisador Visitante, no Instituto Perimetral de Física Teórica em Ontário, Canadá. Um centro de pesquisa independente, que hoje é o maior instituto do mundo focado exclusivamente em Física Teórica. Em 2011, o instituto inaugurou um novo complexo, nomeado em homenagem a Hawking, que esteve lá diversas vezes.

Cambridge também fez muito para que Hawking se sentisse valorizado por sua faculdade de origem. A ação mais significativa foi nomeá-lo professor lucasiano em Matemática, cargo inaugurado em 1663. Hawking tinha apenas 37 anos quando ascendeu a essa famosa cátedra, e se manteve no cargo por trinta anos, até se aposentar em 2009 aos 67 anos, como exige a tradição. No entanto, ele continua sendo o diretor de pesquisa do departamento e também chefia o Centro de Cosmologia Teórica de Cambridge, departamento fundado em 2007. Cambridge também ofereceu outra honraria a ele em 1980, ao nomeá-lo doutor honorário em ciência.

Hawking tem sido um operador sutil, que efetivamente escalou o mastro engraxado da academia e, até hoje, após décadas, mantém-se no auge. Apesar de ter passado muitos anos vivendo de seu modesto salário acadêmico, ele é conhecido por ser um bom negociador que raramente cobra barato. Ele espera, justificadamente, a remuneração justa por seu conhecimento ímpar, e desde os anos 1980, quando começou a ficar famoso, cobra altas taxas por seus escritos e falas públicas. Além disso, se tornou um hábil publicitário. Ele sabe que suas aparições públicas chamam atenção o suficiente, e se mantém em alta alimentando algumas controvérsias.

Ele, por exemplo já contribuiu para debates sobre tudo, da probabilidade da viagem no tempo aos perigos da inteligência artificial e a existência de vida extraterrestre. Em algumas ocasiões, seu excesso de publicidade é criticado por outros cientistas, que questionam a extensão de seu conhecimento em determinadas áreas e retiram o peso que suas palavras às vezes parecem carregar. No entanto, Hawking continua a trabalhar com a mídia, sem se abalar. Afinal, ninguém se torna o cientista vivo mais famoso do mundo por nada. Apesar do valor exato de sua fortuna ser desconhecido, estima-se que seja em torno de alguns milhões de libras esterlinas. Não há muitos físicos teóricos que podem dizer o mesmo.

ESNOBADO PELO NOBEL?

> "Penso que a maioria dos físicos teóricos concordaria que minha predição da emissão quântica de buracos negros está correta, mas isso não me rendeu um Prêmio Nobel até agora porque é muito difícil de se verificar experimentalmente."
> Stephen Hawking, *Minha breve história*, 2013.

Não foram poucos os prêmios e honrarias conquistados por Hawking ao longo de sua carreira. Eles incluem, por exemplo, o prestigioso prêmio Albert Einstein, o Prêmio Dirac e o Prêmio de Física Fundamental. O último, concedido a Hawking em 2013, foi fundado pelo cientista e empresário russo Yuri Milner, por contribuições à pesquisa fundamental. No montante de 3 milhões de dólares, é a premiação acadêmica de maior valor econômico do mundo. Outras honras concedidas a Hawking incluem sua escolha por integrar a Real Sociedade ainda na casa dos trinta anos e sua nomeação de comandante da Ordem do Império Britânico, em 1982. Também recebeu a Medalha Presidencial da Liberdade, a maior honraria civil nos Estados Unidos.

Apesar disso, a ausência de um prêmio em especial é notada em seu currículo: o Prêmio Nobel de Física. Em uma observação rápida, pode parecer estranho que a figura viva mais celebrada da ciência seja privada desse grande tributo. Seria ele vítima de alguma conspiração, inveja ou preconceito? Nesse caso, nos arriscaríamos a perguntar, por acaso ele não é brilhante o suficiente para merecer? A resposta para ambas as perguntas é "não". Para que Hawking receba o Prêmio Nobel, alguns critérios improváveis precisam ser atendidos.

Como veremos no capítulo "O legado de Hawking", ao fim deste livro, há pessoas que questionam se suas habilidades como teórico não são superestimadas. É verdade que há um número de cientistas muito competentes trabalhando no campo que fizeram avanços estonteantes por conta própria, mas que não têm o mesmo perfil de Hawking e, como sugerem algumas pessoas, não recebem o devido crédito. No entanto, poucos discordam de que Hawking faça parte da elite científica deste planeta, e à exceção de poucos rancorosos, é amplamente aceito que ele esteja na competição pelo Prêmio Nobel. Como disse Brian Cox, o famoso apresentador e professor de Física de Partículas na Universidade de Manchester, ele é "um gênio à altura do Prêmio Nobel".

O Prêmio Nobel de Física existe desde 1901, de acordo com as regras estipuladas no testamento de Alfred Nobel, o sueco que inventou a dinamite. Nobel temia ser lembrado majoritariamente como o criador de um instrumento de destruição, então implantou o prêmio para celebrar os que contribuíram mais positivamente para o mundo. O prêmio de Física então, foi criado para agraciar "a pessoa que tenha feito a descoberta ou invenção mais importante no campo da Física [...]". Até hoje, mais de duzentos físicos foram laureados com o prêmio, mas não Hawking, apesar da existência de um *lobby* a seu favor na Academia Nobel há mais de trinta anos.

É plenamente reconhecido que ele não recebeu o prêmio ainda porque a parte mais importante de seu trabalho – referente à radiação Hawking – não pode ser provada por experimentos. Apesar de sua tese ser amplamente aceita e incorporada aos modelos teóricos, ninguém conseguiu testemunhar o fenômeno. Não sabemos se um dia chegaremos a estudar um buraco negro em seu processo de evaporação, mas sem tais evidências, o cientista continuará sem receber o Prêmio Nobel.

Hawking reconhece o fato, mas mantém a esperança de um milagre científico a seu favor. Conforme disse a jornalistas em 2008, referindo-se ao novo Grande Colisor de Hádrons: "Para mim seria ainda mais excitante se ele encontrasse pequenos buracos negros, porque aí eu ganharia o Prêmio Nobel, mas não acho que seja muito provável, por isso vou manter as expectativas baixas".

Hawking não é de forma alguma o primeiro teórico a não receber o maior prêmio de todos. Ninguém menos que Einstein quase foi vítima da mesma situação, até que finalmente foi premiado em 1922. Enquanto a maioria das pessoas aceita a teoria da relatividade geral como sua maior contribuição para a humanidade, o comitê do Nobel enfrentou os mesmos problemas que encontra com Hawking: ninguém poderia provar a teoria por um experimento observável. Assim, permaneceria uma *teoria*, e não uma *lei* que atendesse à exigência de Nobel por uma "descoberta ou invenção". A resposta final do comitê foi, ao final, desviar da questão. Einstein acabou recebendo o prêmio – doze anos após ser indicado – por "seus serviços à Física Teórica e especialmente pela descoberta da lei do efeito fotoelétrico". Em outras palavras, ele ganhou o prêmio por um trabalho muito menos celebrado, brilhante e influente do que sua teoria geral.

É duvidoso que um mecanismo similar possa ser utilizado em favor de Hawking. Exatamente como Marcel Brillouin – que indicou Einstein para o prêmio em 1922 e questionou como ficaria a imagem do prêmio se após cinquenta anos Einstein continuasse a ser ignorado –, podemos nos perguntar o mesmo quanto a Hawking. O próprio, nesse caso, mantém a cabeça fria. Conforme comentou ao receber o Prêmio de Física Fundamental (com o dobro de remuneração em relação ao Nobel): "Ninguém faz pesquisa em Física com a intenção de ganhar um prêmio. É pelo prazer de descobrir algo que ninguém sabia antes [...]".

ERRAR NÃO É PECADO

"Algumas pessoas ficarão muito decepcionadas se não houver uma teoria definitiva que possa ser formulada por um número finito de princípios. Eu costumava pertencer a esse lado, mas mudei de ideia."

Stephen Hawking, palestra Gödel and the End of Physics ("Gödel e o fim da Física"), 2002.

Como já exploramos no capítulo "Não tenha limites para sua ambição", o posicionamento de Hawking quanto à teoria de tudo mudou de maneira fundamental. Da crença de que a humanidade estava a poucos passos dessa descoberta, ele agora sugere que tal ambição é provavelmente inatingível. Essas mudanças costumam desconcertar os observadores, da mesma forma que eleitores se decepcionam com políticos que burlam as regras.

Há uma linha de políticos que adapta sua política a fim de se dobrar em qualquer direção que sopre o vento, e é verdadeiramente merecedora de nossa desconfiança. Mas há outro tipo que muda de ideia à luz de novas evidências ou após séria reconsideração de toda a informação disponível. Hawking fez o mesmo em termos científicos, então o ato de mudar de opinião deve ser visto como admirável e até mesmo corajoso. Em vez de se esconder atrás de sua reputação de gênio, ele se expôs a escrutínio (sem mencionar potencial ridicularização) ao admitir que teve um tropeço intelectual. Ele entende que o conhecimento só progride verdadeiramente com concessões e com o aprendizado pelos erros.

Pela estimativa do próprio Hawking, a maior reviravolta em sua carreira se refere ao que conhecemos como paradoxo da informação em buracos negros. Nesse contexto, "informação" se refere aos dados que definem as propriedades de determinado objeto – por exemplo, sua forma, tamanho, cor ou carga. De acordo com o teorema da calvície, do qual Hawking é adepto, buracos negros têm um conteúdo de informação muito baixo (ou seja, são descritos apenas por sua massa, *spin* e carga). Assim, sabemos que qualquer coisa que caia em um buraco negro é incapaz de escapar, logo, o que acontece com toda a informação atrelada a esses objetos? Hawking acreditou por muito tempo que era destruída no buraco negro, mas isso se contrapunha a outra lei científica fundamental que determina que a informação necessariamente se conserva – portanto, um paradoxo.

A questão do destino da informação em buracos negros se tornou tema de uma famosa aposta em 1998, entre Hawking e Kip Thorne de um lado (defendendo a destruição), e o antigo aluno do Caltech, John Preskill (argumentando que a radiação Hawking permite que a informação vaze de buracos negros). Em 2004, Hawking admitiu a derrota baseado no pensamento quântico corrente, presenteando Preskill com uma enciclopédia de beisebol, uma fonte simbólica na qual "a informação pode ser livremente acessada". Para efeito de registro, Thorne ainda não desistiu oficialmente da aposta.

Em 2012, Hawking contou ao *New Statesman*:

> *Eu pensava que a informação era destruída em buracos negros, mas a correspondência AdS/TCC (anti-de-Sitter/teoria do campo conformal; uma relação implicada entre teorias separadas, englobando as teorias do campo da quântica e a teoria de cordas) me fez mudar de ideia. Esse foi meu maior erro, ou pelo menos meu maior erro na ciência.*

Buscando se redimir ao perceber seu erro, em 2015 ele anunciou um artigo a ser publicado que fornece o seu caminho para "a resposta do paradoxo da informação em buracos negros". Agora ele postula que as partículas que entram em um buraco negro criam uma disfunção que resulta na impressão de informação na radiação Hawking emitida. Enquanto a mídia entrou em um inevitável frenesi, a maioria dos especialistas na área argumenta que, apesar de ser uma hipótese interessante, é uma saída que não oferece uma resposta definitiva ao paradoxo. É, sem dúvida, uma etapa da recalibração de seus pensamentos sobre o assunto.

Essa não foi a única reviravolta de seu pensamento. Em termos de mudanças com grande visibilidade, sua posição quanto ao fabuloso bóson de Higgs se enquadra perfeitamente. Nomeado em homenagem ao cientista britânico Peter Higgs, o bóson de Higgs é uma partícula subatômica cuja existência foi proposta originalmente em 1964. Em resumo, é um mecanismo que pode ser usado para explicar como certas partículas ganham massa, uma questão fundamental sem resposta até então e um modelo-padrão amplamente aceito no estudo de partículas elementares. No começo dos anos 2000, Higgs e Hawking se envolveram em uma acalorada – e nem sempre edificante – discussão pública sobre sua existência, com a insistência de Hawking de que tal partícula não seria encontrada.

No entanto, o bóson de Higgs foi descoberto no Grande Colisor de Hádrons da CERN em 2012. Hawking foi sábio o bastante para reconhecer sua derrota, que influenciaria a concessão do Prêmio Nobel a Higgs. O cientista foi devidamente laureado com o Prêmio Nobel em 2013, em parceria com François Englert. Hawking fez um elogio cortês e sardônico:

> *Algumas semanas atrás, Petter Higgs e François Englert dividiram o Prêmio Nobel por seu trabalho no bóson e foi devidamente merecido. Felicitações aos dois. A descoberta de uma nova partícula vem com um custo pessoal. Eu tinha uma aposta com Gordon Kane da Universidade de Michigan que a partícula de Higgs não seria encontrada. O Prêmio Nobel me custou cem dólares."*

Ele não resistiu a uma última alfinetada a seu rival, em uma reflexão sobre o bóson de Higgs: "A Física seria muito mais interessante se ele não tivesse sido encontrado".

Enfim, Hawking está constantemente aberto à possibilidade de estar errado em qualquer assunto. Apesar de toda a agitação que acompanha seus pronunciamentos ocasionais, ele nunca perdeu de vista a precariedade do ramo da Física Teórica. Como ele mesmo coloca em *Minha breve história*:

> *Qualquer teoria física é provisória, no sentido de ser apenas uma hipótese: você nunca vai prová-la. Não importa quantas vezes os resultados de experimentos concordem com alguma teoria, você não pode ter certeza de que, na próxima vez, o resultado não vai contradizer a teoria. Por outro lado, você pode derrubar uma teoria encontrando uma simples observação que discorde das previsões desta.*

LEIA COMO HAWKING

"A ficção científica [...] não é só uma boa diversão, mas serve a um sério propósito: o de expandir a imaginação humana."

STEPHEN HAWKING NO PREFÁCIO DE *A FÍSICA DE JORNADA NAS ESTRELAS – STAR TREK*, DE LAWRENCE M. KRAUSS, 1995.

É SEGURO DIZER QUE HAWKING é marcadamente bem versado na literatura científica relacionada às suas áreas de interesse particular. De Copérnico, Galileu, Kepler e Newton, tipos como Einstein, Dirac e Planck, aos trabalhos de seus notáveis contemporâneos, Hawking mergulhou em sua área. Isso por si só é um feito extraordinário, considerando que o simples ato de ler o desgasta fisicamente de formas que poucos de nós, felizmente, podemos entender. Por exemplo, Martin Reese relata o quão desafiador era para Hawking ler um livro já nos anos 1970. Ele conta como empurrava a cadeira de rodas para o escritório, onde Hawking pedia que ele deixasse um volume aberto em um ponto específico. "Ele ficava sentado encurvado por horas", disse Reese. "Não conseguia nem virar as páginas sem ajuda".

Dois dos livros de Hawking fornecem um bom ponto de partida para os que desejam investigar os trabalhos científicos que mais o influenciaram: *Os gênios da ciência: sobre os ombros de gigantes*, de 2002 (veja o capítulo "Erga-se nos ombros de gigantes" deste livro), e *God Created the Integers*, de 2005, delineiam sua escolha pelos grandes trabalhos matemáticos da história, de Euclides a Alan Turing.

Hawking, porém, não se restringiu apenas a trabalhos de não ficção. Ele é, por exemplo, um grande defensor da ficção científica – gênero lido extensivamente por ele na adolescência (embora tenha começado a ler tardiamente). A atração era óbvia, o gênero dava a possibilidade de combinar seu amor pela ciência e tecnologia com seu fascínio pelo que se encontra além de nosso próprio planeta. Em outras palavras, uma boa fatia de ficção científica permite a imaginação contemplativa dos tipos de questões existenciais que viriam a ser fundamentais para ele.

Hawking teve a sorte de viver na era de ouro da ficção científica. Nomes lendários como Isaac Asimov, Philip K. Dick, Arthur C. Clarke e Kurt Vonnegut estavam todos no auge quando Hawking se interessou pelo gênero. Esses complementavam, é claro, os trabalhos que já tinham o status de clássicos na época, como o épico de viagem no tempo de H. G. Wells, *A máquina do tempo*. Podemos imaginar a fixação do jovem Hawking ao ler esse livro, que, como argumentam alguns, pressagiava a teoria da relatividade geral em bons vinte anos. Como disse Lawrence Krauss em seu trabalho crítico, *Hiding in the Mirror*,[6] "a primeira página [...] incluía uma explicação de um viajante do tempo não nomeado sobre como os objetos requerem existência no tempo e no espaço. Aos ouvidos modernos, essa descrição soa como a visão de Einstein do espaço-tempo".

Hawking também devorou as obras de Aldous Huxley (1894-1963), escritor inglês cujos romances transcenderam os limites tradicionais de gênero. Seu trabalho mais celebrado é *Admirável mundo novo*, publicado em 1932, que apresenta uma visão distópica de Londres em um futuro séculos à frente. Ao falar de temas tão disparatados como os avanços na tecnologia reprodutiva e o condicionamento psicológico, ele descreveu para seus leitores um mundo assustador que enfrentava sérias questões filosóficas. Essa era ficção científica para fazer pensar de verdade. No entanto, Hawking não é fã de toda a obra do autor. Por exemplo, ele leu um dos primeiros romances de Huxley, *Contraponto*, de 1928, quando era estudante em Oxford, e achou a longa (é o maior dos trabalhos de Huxley) e complicada narrativa entediante. É um "romance muito ruim", argumentou ele, julgamento

6 "Escondido no espelho", não editado no Brasil. (N.E.)

que revela que Hawking está disposto a usar o bisturi crítico e não tem respeito por reputações.

Sempre um consumidor consciente do gênero, em 1992, Hawking disse:

> *Eu li muita ficção científica na adolescência. Agora que trabalho na área, acho a maior parte da ficção científica um pouco rasa [...]. A ciência de verdade é muito mais empolgante porque está acontecendo de verdade. Nenhum escritor de ficção científica sugeriu buracos negros antes que os físicos pensassem nisso.*

A FICÇÃO CIENTÍFICA E O CIENTISTA

A fascinação de Hawking pela ficção científica não reduziu com o passar dos anos, visto que ele sacia seu apetite não só com livros, mas também com filmes e séries de TV. Ele, por exemplo, é um fã confesso de *Jornada nas estrelas*. Em seu prefácio para a aclamada investigação de Krauss sobre a ciência por trás da série, Hawking explica o que o continua atraindo à ficção científica de boa qualidade. "Nós podemos explorar como o espírito humano pode reagir ao desenvolvimento futuro da ciência", escreve ele, "e especular sobre quais serão esses desenvolvimentos". Em 2007, ele apresentou uma série de dramas de ficção científica no canal ABC chamado *Mestres da ficção científica*. Cada episódio adaptava uma história de um respeitado escritor do gênero, como Harlan Ellison, Howard Fast, Robert A. Heinlein, John Kessel, Walter Mosley e Robert Sheckley.

Em uma entrevista ao apresentador satírico John Oliver, em 2014, ele lançou um desafio à geração atual de autores, para incorporar o tempo imaginário a seus enredos. "É uma parte do meu trabalho que os escritores de ficção científica não usaram, pois não entenderam."

Se por um lado Hawking usa sua credencial de fã de ficção científica com orgulho, seus gostos literários são bastante conservadores.

Entre os autores que ele experimentou na juventude figura, por exemplo, Kingsley Amis (1922-95). Amis tinha uma reputação de ranzinza com políticas pessoais distintas bastante questionáveis, quando eclodiu no meio literário em 1954 com *A sorte de Jim*, e foi considerado um membro central do movimento Angry Young Men ("jovens revoltados"). Amis, como a maioria dos escritores associados ao grupo (John Osborne, John Braine, John Wain e Alan Sillitoe, entre outros), tentou se distanciar do rótulo. Contudo, essa estranha associação de escritores das classes mais baixas e de classe média combatendo as iniquidades da vida britânica pós-guerra sob o controle da ordem estabelecida sem dúvida teve apelo aos próprios sentimentos de desilusão e tédio de Hawking na época. Além disso, *A sorte de Jim* figura entre os melhores livros de comédia da língua; o relato das desventuras de Jim Dixon (um jovem professor de História Medieval decepcionado com a vida em uma universidade de província) teve seu apelo ao senso de humor malicioso de Hawking. Pode ser apontado, também, que Hawking e Amis carregaram consigo ao longo da vida o espanto quanto à natureza das mulheres.

Sabemos também que ele era um fã de William Golding (1911-93), agraciado com o Prêmio Nobel de Literatura de 1983, mais conhecido por seu romance *O senhor das moscas* (publicado no mesmo ano de *A sorte de Jim*). A história de um grupo de garotos presos em uma ilha deserta e que tenta sobreviver sob seu próprio sistema de governo foi um dos livros mais aclamados do século, por seu estudo da natureza humana e pela batalha entre os interesses pessoais e o bem comum. De tom distópico, é também altamente político e se relaciona a questões do interesse de Hawking para além da sala de aula. Ele também se interessou por Bertrand Russel (1872-1970), o filósofo e matemático polivalente britânico. Um lógico de primeira linha – que, em suas próprias palavras, "se imagina alternadamente um liberal, um socialista ou um pacifista" –, Russel raramente evitou um desafio intelectual. Laureado em 1950 com o Prêmio Nobel de Literatura, em "reconhecimento a seus variados e significativos escritos nos quais defende ideais humanitários e a liberdade de pensamento", ele era um cara "das grandes ideias", com quem Hawking se entenderia bem.

No entanto, em sua aparição de 1992 no *Desert Island Discs*, Hawking indicou um dos maiores romances vitorianos como o livro que ele gostaria de ter em um naufrágio (junto com as *Obras Completas de Shakespeare*, a *Bíblia*, e os títulos padronizados ofertados pela produção do programa). Sua escolha foi *Middlemarch*, de George Eliott (pseudônimo de Mary Ann Evans, 1819-80), que ele descreve como "um livro para adultos". Originalmente publicado em partes entre 1871 e 1872, é uma obra-prima de caracterização e enredo. Com um grande elenco que atravessa diversos enredos interconectados, o livro rumina sobre questões políticas e filosóficas profundas que continuam tão pertinentes hoje quanto na época de sua escrita. Nesse sentido, captura o mundo inteiro em suas páginas, e talvez a oportunidade que oferece de expandir a mente para um complexo cosmo literário tenha sido cativante para Hawking.

DEFENDA O QUE VOCÊ ACREDITA

"A guerra nuclear continua sendo o maior perigo para a sobrevivência da raça humana."

STEPHEN HAWKING, MANIFESTANDO-SE CONTRA A RENOVAÇÃO DO SISTEMA TRIDENT DE DEFESA NUCLEAR PELO GOVERNO BRITÂNICO, 2011.

Em função de suas conquistas diante de grandes adversidades, Hawking se imbuiu de um ar de autoridade moral que poucas figuras públicas podem equiparar. Aliado ao fato de que há poucas pessoas com a ousadia de se considerar pertencentes ao mesmo nível intelectual, ele se encontra em uma posição praticamente única de influência da opinião pública e políticas governamentais, e abraçou tal tarefa com vigor.

Hawking foi criado em uma atmosfera de ativismo político, especialmente da parte da mãe. Ela foi, por exemplo, membro do conselho do Partido Comunista Britânico, bem como membro comprometido do movimento pacifista. Hawking sem dúvida soube em tenra idade que um de seus heróis, Albert Einstein, usava sua fama como cientista para chamar atenção para causas políticas e sociais com bastante efetividade.

Tal como Einstein promoveu campanhas pelo desarmamento nuclear – tecnologia que, para seu terror, se tornou possível graças às suas descobertas científicas –, Hawking assumiu esse manto. Em 1946, Einstein escreveu no *The New York Times*: "A energia liberada pelo átomo mudou tudo, exceto nossa forma de pensar, e isso nos levará inevitavelmente à catástrofe". O que ele pensaria de Hawking – seu sucessor na consciência do público –, que ainda tem necessidade de levar adiante a mesma mensagem mais de sessenta anos depois, só nos resta conjecturar. Hawking também se tornou um oponente ferrenho da invasão do Iraque em 2003, descrevendo a guerra como um crime e que a decisão de tomar ação militar foi "baseada em mentiras".

No entanto, foi em seu ativismo pelos direitos dos deficientes que Hawking teve o maior impacto. Sendo provavelmente o deficiente mais famoso do planeta, quando ele fala do assunto, as pessoas são compelidas a ouvi-lo. Em 1979, ele já tinha sido nomeado a Pessoa do Ano pela Associação Real de Deficiência e Reabilitação. Sua jornada por melhores condições de vida para pessoas com deficiências começou na esfera pessoal, quando ele travou uma batalha particular contra as autoridades de Cambridge. Naquela época, ele achava as regras da universidade inflexíveis quando se tratavam, por exemplo, de oferecer alojamentos que atendessem a suas necessidades particulares, ou em adaptar o espaço do Departamento de Matemática Aplicada e Física Teórica à sua cadeira de rodas.

Em uma palestra ministrada na Gonville and Caius College, em 2015, ele pintou um retrato solidário da ajuda que recebeu ao longo dos anos. "Um apartamento foi adaptado para mim e minha família", conta ele. "A faculdade instalou rampas em suas belas construções medievais, e estas foram adaptadas à tecnologia do século XXI que eu precisava para me locomover e trabalhar." No entanto essa é uma memória bastante enfeitada, que deixa de lado os detalhes escabrosos da pressão que teve de fazer para que a faculdade tomasse alguma atitude. Foi, podemos considerar, uma tática orientada para a sustentação do argumento que ele defendeu naquela noite, ao apontar as deficiências do orçamento de ensino superior: "Eu me pergunto se um jovem com ambição acadêmica, portador da minha difícil condição, hoje encontraria a mesma generosidade e suporte no ensino superior. Mesmo com a maior boa vontade, haveria dinheiro? Receio que não".

Em 2006, sua batalha por acessibilidade para deficientes se tornou internacional quando ele tomou a frente de uma campanha publicitária que promovia os direitos dos deficientes em Israel. "Em vinte anos, talvez estaremos vivendo na Lua", diz com sua famosa voz, e continua, "ao longo dos próximos duzentos anos talvez deixemos o sistema solar rumo às estrelas, mas enquanto isso, nós [presos a cadeiras de rodas] gostaríamos de ir ao supermercado, ao cinema e a restaurantes". Seis anos antes ele havia se reunido com onze outras figuras globais proeminentes, como o arcebispo Desmond Tutu, em um chamado pela prevenção de deficiências e pelos direitos dos deficientes. O foco central do movimento foi a Agenda para o Terceiro Milênio, a qual exigia que os governos demonstrassem vontade política para prevenir doenças facilmente evitáveis que causam deficiências. Hawking também foi um defensor ferrenho do uso de células-tronco em pesquisas médicas (apesar da cautela contra os que esperam "curas milagrosas") – uma área controversa da ciência, que ele alega ser engessada pela legislação "reacionária".

Seu ativismo abordou um número considerável de causas. Ele, por exemplo, tangenciou a questão política do Oriente Médio. Notavelmente, ele foi ligado a um boicote acadêmico de Israel, faltando a uma conferência lá em 2013. Apesar de não fazer uso púbico de sua decisão à época, uma declaração do Comitê Britânico pelas Universidades da Palestina (liberada com a autorização de Hawking) descreveu a atitude como "sua decisão independente de respeitar o boicote, baseado em seu conhecimento da Palestina e nos conselhos unânimes de seus contatos acadêmicos de lá".

Ele também se posicionou contra a crescente desigualdade econômica no mundo. Por exemplo, respondeu uma questão em sua entrevista no "Pergunte qualquer coisa" do Reddit sobre um futuro onde o trabalho seria realizado predominantemente por máquinas.

> *Se as máquinas produzirem tudo de que precisamos, o resultado dependerá de como as coisas serão distribuídas. Todos poderão desfrutar de uma vida de luxo e lazer se os bens produzidos por máquinas forem compartilhados, ou a maioria das pessoas pode acabar miseravelmente pobre se a campanha dos proprietários das máquinas for*

> *contra a redistribuição de riquezas. Até aqui, a tendência parece ser a segunda opção, com uma tecnologia que aumenta cada vez mais a desigualdade.*

É uma visão sombria de uma figura tão importante no avanço científico.

Apesar de não ser filiado a nenhum partido político, seus posicionamentos políticos são majoritariamente de esquerda ou centro. Em relação às eleições gerais de 2015 no Reino Unido, ele declarou publicamente sua intenção de votar no Partido Trabalhista, ao qual sua mãe pertenceu formalmente depois de seu envolvimento juvenil com os comunistas. Ele tem sido um sério opositor das medidas de austeridade impostas pelos governos conservadores no poder desde 2010, particularmente na área de educação e financiamento científico. De fato, em 2010, ele ameaçou deixar o país se os cortes orçamentários prometidos fossem levados a cabo. Ele defende com firmeza o Serviço de Saúde Nacional, sem o qual, declarou em 2009, ele não estaria vivo hoje.

O posicionamento de Hawking nas causas das mulheres, no entanto, é um pouco mais misterioso. Ele se viu em uma saia justa com pelo menos metade da população em 2005 quando disse em entrevista ao *The Guardian*:

> *No passado, havia discriminação ativa contra as mulheres na ciência. Isso já é passado, e apesar de alguns efeitos residuais, não há motivos para o número reduzido de mulheres, particularmente na Matemática e na Física. [...] É algo reconhecido geralmente que as mulheres são melhores que os homens em línguas, relações pessoais e em realizar várias tarefas ao mesmo tempo, mas não tão boas em leitura de mapas e consciência espacial. No entanto, não é irrazoável presumir que as mulheres não sejam tão boas em Matemática e Física. Não é politicamente correto dizer essas coisas, e o presidente de Harvard*

teve enormes problemas com declarações desse tipo, mas não pode ser negado que há, de fato, diferenças entre homens e mulheres.

Suas palavras parecem curiosamente deslocadas em relação a seus posicionamentos tradicionais socialmente progressistas, mas como já vimos, não é a primeira vez que ele expressa um sentimento de "elas e nós", em relação às mulheres. No entanto, em outras ocasiões ele se posicionou pela igualdade de gêneros, empenhando-se em uma campanha nos anos 1970 para que a Gonville and Caius admitisse estudantes do sexo feminino.

TRABALHE COM A SUA INTUIÇÃO

"Eu confio muito na minha intuição."

Stephen Hawking, falando no *Desert Island Discs*, 1992.

DADA A NATUREZA DA COSMOLOGIA, de por assim dizer, tentar estabelecer leis que governam áreas que não podemos ver fisicamente, é inevitável que seus expoentes confiem, em algum nível, em sua intuição. Isso não significa dizer que os cosmólogos trabalhem tateando no escuro baseados em palpites. Em vez disso, processam os dados disponíveis, ruminam a literatura existente e exploram as profundezas de sua mente para formular hipóteses. A habilidade magnífica de Hawking – apesar de não ser infalível – de intuir linhas frutíferas de investigação foi o atributo chave para sua ascensão à grandeza.

Apesar de se permitir estar aberto à intuição, só é eficaz porque ele também exige que esteja baseado em sólida racionalidade. No prefácio de *Buracos negros, universos-bebês e outros ensaios* (1993), ele escreve:

> *Eu não concordo com a visão de que o universo seja um mistério, algo que alguém possa ter intuições a respeito, mas nunca analisar e compreender totalmente. Sinto que essa visão não faz justiça à revolução científica iniciada quase quatrocentos anos atrás por Galileu e mantida viva por Newton. Eles mostraram que pelo menos algumas áreas do universo não se comportam de modo arbitrário, mas são governadas por leis matemáticas precisas.*

Ele também confia em testar ao extremo suas ideias e descartar as que apresentam falha. "Eu tento imaginar um resultado, mas depois tenho que prová-lo", disse ele na entrevista para o *Desert Island Discs*, em 1992. "Nesse estágio, frequentemente descubro que o que eu tinha imaginado não é verdadeiro, ou que algo diferente, em que eu nunca tinha pensado, funciona". Assim, mesmo uma hipótese descartada, uma intuição que não levou a nada, pode levar ao próximo grande passo ou pelo menos guiar a fase seguinte da pesquisa. Também é válido especular se a forma de pensamento visual de Hawking acentua suas habilidades intuitivas. Ele mesmo admite que, "não se importa muito com as equações", pois tem uma "sensibilidade intuitiva" com elas. Seria possível que sua preferência por imaginar conceitos em termos quase físicos, em vez de em equações complexas, dê maior alcance à imaginação criativa na qual sua intuição opera?

Ele admite que seu maior salto intuitivo – que ele já chamou várias vezes de "momento eureca" e de "momento de êxtase" – veio em 1970, enquanto colocava sua filha pequena na cama. Foi quando ele experimentou a revelação de que buracos negros tinham entropia, descoberta que pavimentou o caminho para a descrição da radiação Hawking. É notável que ele tenha chegado a essa brilhante conclusão distante da atmosfera formal do ambiente acadêmico, e que sua criatividade tenha florescido, em vez disso, quando ele deveria estar focado em assuntos mais domésticos.

Novamente, seus métodos nos lembram Einstein, que em 1920 declarou: "Todas as grandes conquistas da ciência devem começar com o conhecimento intuitivo, os axiomas, dos quais as deduções depois são feitas [...]. A intuição é a condição necessária para a descoberta de tais axiomas". Em uma entrevista nove anos depois, ele retomou o assunto: "Eu acredito em intuições e inspirações [...]. Às vezes *sinto* que estou certo. Não *sei* se estou".

No entanto, se a intuição é por vezes compreendida como algo pouco além de um palpite inspirado, tanto Einstein quanto Hawking a concebiam como um passo quase que final de um longo processo de acumulação de conhecimento. Nas palavras de Einstein: "A intuição não é nada além do resultado da experiência intelectual."

ESCREVA COMO HAWKING

"Fico contente que um livro de ciência possa competir com as memórias de um pop star. *Talvez haja esperança para a raça humana."*

STEPHEN HAWKING, CITADO EM *STEPHEN HAWKING: UMA VIDA PARA A CIÊNCIA*, DE MICHAEL WHITE E JOHN GRIBBIN, 1992.

A BIBLIOGRAFIA DE HAWKING inclui mais de duzentos livros (ficção e não ficção) e artigos acadêmicos que datam desde 1965. Mesmo pensando que ele foi coautor de uma quantidade significativa desses trabalhos, é uma produção incrível. Para alguém que passou a maior parte da carreira incapacitado de escrever mais que algumas palavras por minuto, essa conquista toma uma dimensão ainda maior. Isso sem citar o fato de que um de seus livros se tornou um dos trabalhos de ciência popular mais aclamados da história.

Seu primeiro grande artigo, "Occurrence of Singularities in Open Universes" ("A ocorrência de singularidades em universos abertos"), publicado em 1965, definiu a área na qual ele deixaria sua marca. Em alguns anos ele publicaria com seu orientador de Ph.D, Dennis Sciama. Na ocasião do lançamento de *The Large Scale Structure of Space-Time* (escrito com George Ellis), Hawking já era um nome estabelecido em sua área. No entanto, nem é preciso dizer, sua produção nessa época era altamente técnica e quase impenetrável aos que não tivessem um conhecimento prévio sofisticado de Cosmologia. Foi só no final dos anos 1980 – com o surgimento de *Uma breve história do tempo* – que ele começou a escrever livros populares sobre ciência. De uma tacada só, ele apresentou a milhões uma área completamente obscura até então e mudou sua própria vida para sempre.

Uma breve história do tempo tem seus críticos. A prosa não é sempre infalivelmente elegante e alguns aspectos científicos continuam de difícil compreensão – mas não podemos culpá-lo pela complexidade de temas como o tempo imaginário. É um dos livros, de acordo com o dito popular, mais comumente abandonados por seus leitores. Apesar de tudo isso, foi um marco que desmistificou a enorme complexidade da área – de onde veio o nosso universo e para onde vai –, tornando-a muito mais palatável. Para tantos que não passaram das primeiras páginas, outros tantos chegaram ao fim, alimentando seu intelecto com o feito. Podemos considerar que foi e continuará sendo uma inspiração para muitos jovens, aspirantes a cientistas, que podem vir a entender o universo melhor que o próprio Hawking.

Isso também pavimentou o caminho para que Hawking se tornasse o eminente embaixador da ciência de sua geração. Ele pode não ser capaz de se mover ou de falar por conta própria, mas ninguém mais chegou tão perto de tornar a Cosmologia acessível para as massas. Uma série de trabalhos populares vieram em seguida. *Buracos negros, universos-bebês e outros ensaios* (que trata de uma série de assuntos científicos e não científicos) saiu em 1993. *O universo numa casca de noz* ajudou a apresentar a teoria M para o público em 2001, e *Os gênios da ciência: sobre os ombros de gigantes* reintroduziu uma série de trabalhos científicos para a audiência moderna um ano depois. Então, em 2005, em uma parceria com Leonard Mlodinow, ele revisitou e atualizou *Uma breve história do tempo*, na forma de *Uma nova história do tempo*. A mesma parceria produziu *O grande projeto* em 2010, que incorporou as ideias científicas mais recentes à contemplação das questões fundamentais do universo, incluindo – controversamente – a existência (ou não) de Deus.

Minha breve história, um trabalho autobiográfico que apresenta a história pessoal e as aventuras profissionais de Hawking, surgiu três anos depois. Então veio uma série de livros de ficção infantis, escritos com sua filha Lucy, visando trazer a Cosmologia para um público mais novo com as aventuras de George. O primeiro título, *George e o segredo do universo*, veio em 2008, seguido de mais três (*George e a caça ao tesouro cósmico*, *George and the Big Bang* e *George and the Unbreakable Code*[7]) em 2014. Esses títulos já foram traduzidos para mais de uma dúzia de línguas. Hawking aprecia o trabalho de escrever para crianças, um público que ele descreve como "naturalmente interessado no espaço e sem medo de perguntar por quê".

Enquanto isso, como quem visa desestabilizar as acusações de "emburrecimento", ele continua a escrever livros e artigos para uma audiência mais especializada. Em 1996, por exemplo, escreveu *A natureza do espaço e do tempo* (com Roger Penrose), e em 2005 publicou "Information Loss in Black Holes" ("perda de informação em buracos negros"), e o extenso *God Created the Integers: The Mathematical Breakthroughs That Changed History*. Na época em que este livro foi escrito, seus três mais recentes artigos acadêmicos foram os definitivamente não populistas "The Information Paradox for Black Holes" ("o paradoxo da informação em buracos negros"), "Information Preservation and Weather Forecasting for Black Holes" ("preservação de informação e previsão do tempo em buracos negros") e "Vector Fields in Holographic Cosmology" ("campos vetoriais em Cosmologia holográfica"). Escrever com sucesso tanto para especialistas como para não iniciados é, sem dúvida, um feito de que poucos escritores do meio científico já se aproximaram.

Acima de tudo, não podemos esquecer que isso foi alcançado em face de desafios práticos monstruosos. No final dos anos 1960, sua habilidade de escrever já estava significativamente debilitada pela doença, situação que só piorou. Então, sua voz enfraqueceu ao longo dos anos e o processo de ditar se tornou mais lento e desgastante. Quando perdeu sua própria voz completamente nos anos 1980, ele só conseguia escrever frases com a ajuda do computador. Na época, ele ainda tinha algum controle de seu polegar, mas não levou muito tempo para que o perdesse para a ELA. Então, sua única forma

7 "George e o Big Bang" e "George e o código inquebrável", respectivamente, não editados no Brasil. (N.E.)

de comunicação se tornou soletrar palavras uma letra por vez movimentando sua sobrancelha no momento certo, enquanto uma terceira pessoa apontava a letra apropriada em uma tabela de soletrar. Só podemos imaginar a frustração trazida por esse processo. Como ele afirma em seu próprio site: "Já é bem difícil manter uma conversa dessa forma, que dirá escrever um artigo científico".

Felizmente, a nova tecnologia interveio e ele teve um computador adaptado a sua cadeira de rodas, que podia ser operado por uma combinação de movimentos da cabeça, olhos e bochecha. Isso permitiu que ele não apenas escrevesse frases, mas também as transmitisse para seu sintetizador de voz conforme desejasse. No auge de sua operação, ele era capaz de produzir cerca de quinze palavras por minuto. Uma melhoria enorme de sua situação anterior, mas longe do ideal para um indivíduo cujo ponto forte é a comunicação. Apesar disso, ele escreveu pelo menos um livro e dezenas de artigos científicos assim. Hawking já afirmou que suas dificuldades o forçam a ser conciso e objetivo, mas sua situação física segue se deteriorando, e sua taxa de produção caiu para uma palavra por minuto em 2012. Hawking se envolveu com pesquisa de ponta para desenvolver outras formas de comunicação para pessoas com graves debilidades físicas, incluindo tentativas de escanear e utilizar ondas cerebrais. No entanto, tal tecnologia ainda é incipiente, e as chances de vermos mais trabalhos originais de Hawking de proporções significativas só diminuem.

COMO *UMA BREVE HISTÓRIA DO TEMPO* SE TORNOU UM FENÔMENO

> "Eu sabia que seria um sucesso quando foi traduzido para servo-croata."
> Stephen Hawking, citado na *Vanity Fair*, 2004.

A publicação de *Uma breve história do tempo*, em 1988, foi indiscutivelmente o Big Bang pessoal de Hawking. Apesar de ter altas esperanças em relação ao livro, ele não poderia imaginar o quanto estava certo.

Suas motivações para escrevê-lo foram bipartidas. Por um lado, a nobre missão assumida de transmitir as maravilhas da ciência para uma audiência mais ampla. Seu objetivo era demonstrar o quão longe chegamos em apenas algumas décadas de investigação sobre as origens do universo. Mas havia também a necessidade econômica. Seus três filhos estudavam em escola particular e as próprias necessidades de Hawking (incluindo enfermeiras particulares) tinham um custo elevado. No entanto, em comparação, seu salário acadêmico era modesto e ele enfrentava o espectro de um futuro incerto. Assim, ele esperava que um livro popular pudesse aliviar seus problemas financeiros e talvez reservasse algumas economias para os filhos. Às vésperas dos trinta anos de sua publicação, ele tem o consolo de ver seu objetivo muito mais do que atingido.

A escrita de *Uma breve história do tempo* foi certamente tumultuada. Seu objetivo era produzir um texto acessível a qualquer um que se dispusesse a abrir o livro. Por exemplo, ele queria evitar páginas de longas equações, comuns aos livros mais sérios de Cosmologia, e atento ao fato de que cada equação que ele usasse poderia potencialmente afastar seus leitores, o livro contém apenas uma única equação, a mais famosa de toda a ciência: $E=mc^2$. Em vez disso, ele queria apresentar os termos imagéticos que ele traz em sua mente e descrevê-los em linguagem simples, com poucos diagramas e analogias de simples entendimento.

Como vimos anteriormente, o processo de escrita não foi de forma alguma fácil, desde que Hawking começou a maquinar a ideia em sua cabeça, em 1982. A piora catastrófica de sua saúde na Suíça em 1985 fez com que os estágios finais de escrita fossem ainda mais complicados. Contudo, sua energia e determinação inesgotáveis permitiram que ele concluísse o projeto.

A primeira editora a fazer uma oferta no livro foi onde Hawking já publicava regularmente, a Editora da Universidade de Cambridge.

Foi oferecido a ele um generoso adiantamento de 10 mil libras, que ainda não correspondia às ambições do autor com o título. Hawking queria que fosse o tipo de livro que encontramos empilhado em livrarias de aeroporto, um verdadeiro sucesso em massa. Portanto, ele decidiu entregar o serviço a um superagente de Nova York, Al Zucherman, mas até mesmo ele achava que seu cliente estava com expectativas elevadas demais.

No ano de 1984, Zuckerman já estava em posse do primeiro rascunho de Hawking. Não levou muito tempo para que surgisse outra oferta, dessa vez da respeitada Editora Norton. Zuckerman rogou que Hawking aceitasse a proposta, mas ele estava determinado a esperar. Sua intuição se provou bem fundamentada. A Bantam, uma empresa com grande alcance popular, mas pouca experiência com material científico, apresentou a proposta de 250 mil dólares pelos direitos de publicação nos EUA. Hawking não precisou pensar duas vezes. Quando se encontrou com seu futuro editor, Peter Guzzardi, em 1985, este não conseguia parar de elogiar efusivamente seu novo autor. Hawking, por sua vez, falando por meio de um tradutor, interrompeu-o com a frase: "Onde está o contrato?".

Guzzardi se empenhou ativamente em reconfigurar o manuscrito e o livro estava pronto para a impressão em 1988. Foi ele quem sugeriu a inversão do título original de Hawking, *Do Big Bang aos buracos negros: Uma breve história do tempo*, para *Uma breve história do tempo: do Big Bang aos buracos negros*. Felizmente, o editor e o autor reconsideraram a decisão de cortar a frase que se tornaria a mais famosa do livro, onde Hawking fala de "conhecer a mente de Deus". Uma introdução, feita por outro ícone vivo da ciência, Carl Sagan, também ajudou a aumentar as expectativas dos leitores.

A primeira noção de que esse livro tinha algo de especial veio quando um reconhecido parecerista da revista científica *Nature* ligou para a Bantam. Ele alertava que o exemplar de pré-publicação que ele recebera continha uma série de erros tipográficos e diagramas com títulos errados. A editora decidiu reimprimir e recolheu a primeira tiragem. No entanto, um número significativo de cópias já havia sido distribuído. *Uma breve história do tempo* era um sucesso. As vendas rapidamente aumentaram e o livro quebrou uma série de recordes para um título científico. Nos EUA, por exemplo, esteve na lista dos mais vendidos do *The New York Times* por 147 semanas, e no Reino Unido se manteve na lista do *Times* por 237 semanas (outro recorde quebrado). A obra foi traduzida para mais de quarenta idiomas (mais de quarenta formas de ficar embasbacado pelo tempo imaginário!) e vendeu algo entre 10 e 25 milhões de cópias. Como disse Nathan Myhrvold para a *Vanity Fair* em 2004: "Vendeu mais que o livro *Sex*, da Madonna, e por uma ampla margem. Quem poderia prever isso?".

APROVEITE A FAMA

"Ser bastante conhecido e facilmente reconhecível tem suas vantagens e desvantagens [...], mas as desvantagens são facilmente superadas pelas vantagens."

STEPHEN HAWKING, *MINHA BREVE HISTÓRIA*, 2013.

Mesmo quando a carruagem de *Uma breve história do tempo* começou a andar, Hawking não fazia ideia de que estava prestes a ser elevado à categoria de superestrela. Ele se juntou a um clube exclusivo de pessoas vivas hoje cujos nomes, rostos (e é claro, vozes) são instantaneamente reconhecíveis em qualquer continente. A maior parte dos membros são estrelas pop, atores e esportistas, incluindo talvez alguns ocasionais políticos e empresários. Ele é o cientista solitário desse grupo.

A fama costuma ser uma faca de dois gumes, mas Hawking se adaptou a ela espetacularmente bem. Ele aprecia os benefícios do sucesso (acompanhados de uma fortuna), e por que não deveria? Ele também usa sua fama para promover grandes causas nobres nas quais acredita de verdade, e o mais importante de tudo, continua levando a ciência a lugares só alcançáveis pelo poder de uma celebridade. Além disso, é alvo dos ataques que as megacelebridades, como Beyoncé, Ronaldo ou Barack Obama, têm em sua vida cotidiana.

Os críticos de Hawking tendem a focar seus comentários em dois aspectos específicos de sua fama. O primeiro, que poucos se dispõem a discutir, é que Hawking não seria tão famoso se não fosse deficiente. É uma questão que às vezes o próprio Hawking faz a si mesmo, como visto no documentário da PBS em 2014: "Às vezes me pergunto se sou mais famoso por minha cadeira de rodas e minha deficiência do que pelas minhas descobertas".

Não há dúvida de que sua deficiência desempenha um papel importante em manter o interesse público nele. Como um indivíduo tão cruelmente incapacitado pode ser tão brilhante é motivo de fascínio amplo no mundo. Esse "interesse humano" abre os caminhos de sua ciência para muitas pessoas que de outra forma não dariam um segundo para a Cosmologia. Hawking não deve ter que responder por sua deficiência ou justificar o nível de fama atingido em função disso. No entanto, lembram alguns, enquanto ele atrai essa monumental atenção, outros cientistas que promovem trabalhos de igual ou maior magnitude permanecem desconhecidos.

De maneira mais problemática, alguns de seus críticos sugerem que seu nome é tão poderoso que seus posicionamentos teóricos pessoais são recebidos sem crítica, enquanto teorias opostas são ignoradas. Novamente, não podemos considerar culpa dele que nem todos tenham a mesma fama, da mesma forma que não podemos culpar Lionel Messi por ser mais elogiado que seus colegas de time, mesmo quando estes jogam melhor do que ele. Isso serviu, no entanto, como pressão para que Hawking restringisse seus comentários públicos. Sendo uma figura pública, nem sempre é fácil. Como dito por seu velho amigo Martin Reese: "O lado negativo de ser uma celebridade é que seus comentários atraem atenção exagerada mesmo quando fala de tópicos sobre os quais não é especialista".

A VIDA AGITADA

Apesar de lidar com alguns problemas ocasionais, Hawking parece apreciar a vida agitada dos famosos. Na verdade, não faria sentido tentar evitá-la, a não ser que estivesse disposto a viver como um eremita. Ele comentou o assunto na televisão israelense em 2007: "O lado negativo da minha fama é que não posso ir a lugar nenhum no mundo sem ser reconhecido.

Para mim não basta usar óculos escuros e uma peruca, a cadeira de rodas me denuncia". Assim, ele se une felizmente com seus parceiros famosos (Richard Branson e Daniel Craig estavam entre os convidados de sua festa de aniversário de setenta anos) para dar palestras em ambientes mais acostumados a astros pop. Ele esgotou os ingressos para o Royal Albert Hall, em Londres, fez uma aparição na Casa Branca e, em 2014, foi a atração principal do Starmus – uma festa da música e do cosmo nas ilhas Canárias – junto à lenda da guitarra e ávido astrônomo amador Brian May. Já nos anos 1990, Hawking demonstrava essa admirável atitude de estrela do rock quando faltou a uma conferência planejada com antecedência na cidade litorânea de Brighton para ver um concerto do Status Quo.

A fama é uma parte intrínseca e automultiplicadora do fenômeno Hawking, mas ainda não supera nem de longe seu trabalho como cientista. De volta às palavras de Martin Rees: "Sua fama não deve ofuscar suas contribuições científicas, pois, ainda que a maioria dos cientistas não seja tão famosa quanto ele, Hawking sem dúvida fez muito mais do que todos, desde Einstein, para aprimorar nosso conhecimento sobre a gravidade".

HAWKING, O CONVIDADO DA TV

"Fiquei feliz em mostrar que a ciência tem valor nas ruas."
Hawking, sobre sua aparição em *Os Simpsons* em 2004.

Se lhe pedissem para descrever o arquétipo da figura televisiva, provavelmente um físico teórico com uma deficiência física grave que fala por um sintetizador de voz não seria sua primeira opção, mas poucas coisas no mundo de Hawking são ordinárias. Apesar do estilo aparentemente inapropriado para a TV, ele abriu seu caminho com uma série de aparições significativas na telinha ao longo das últimas três décadas. Com isso, conhecemos sua versatilidade, visto que suas aparições variaram entre documentários, programas de entrevista, drama e comédia.

Tudo que lhe falta como típica estrela da TV é compensado em outros aspectos. Primeiramente, o sucesso de *Uma breve história do tempo* lhe rendeu um nome (talvez "o nome") que as pessoas imediatamente associam a ciência, inteligência e genialidade. Para completar, ele é imediatamente reconhecível – apesar dos comentários irônicos dele, ninguém o confunde com mais ninguém –, tanto visual quanto energeticamente. Sua voz sintetizada se tornou parte integral da figura pública de Hawking, tanto que ele recusou inúmeras ofertas de dar um ar mais natural a sua voz com um software melhorado.

Em termos de trabalho televisivo, o projeto de valor mais duradouro é a série de documentários à qual ele foi vinculado. Em 1992, ele apresentou a série da PBS *O universo de Stephen Hawking*, que apresentava o panorama dos desenvolvimentos da Astronomia e da Cosmologia. Então, em 2008 houve uma breve série no Channel 4, intitulada *Stephen Hawking: mestre do universo* – uma mistura de biografia e ciência que trouxe uma audiência de quase 2 milhões de espectadores no Reino Unido, número nem mesmo sonhado por outros documentários científicos. *Into the Universe with Stephen Hawking*, da Discovery Channel, veio em seguida em 2010, na qual Hawking guiava os espectadores pelo universo com imagens de alta tecnologia geradas por computador. *Admirável mundo novo com Stephen Hawking*, novamente no Channel 4, saiu no ano seguinte, apresentando cinco episódios sobre como os cientistas estão tentando dar os próximos passos em campos como tecnologia, saúde e meio ambiente. Mantendo essa marcha rápida, ele apresentou *Stephen Hawking's Grand Design* (na Discovery), uma série parcialmente baseada em seu livro *O grande projeto*, que abordou as grandes questões que permearam sua carreira de pesquisador. Enquanto isso, em 2007, ele encontrou tempo para fazer a introdução da série dramática *Mestres da ficção científica*.

Sua fama nas telas foi complementada por grandes documentários biográficos (incluindo *Uma breve história do tempo*, em 1991, e *Hawking*, em 2013) e por representações ficcionais de sua vida. O drama de 2004 da BBC, *Hawking*, foi muito elogiado à época, estrelando Benedict Cumberbatch (antes de sua fama como Sherlock) no papel principal. O indicado ao Oscar, *A teoria de tudo*, foi lançado em 2014, com Eddie Redmayne interpretando o físico. A fama de Hawking foi garantida instantaneamente por pelo menos mais uma geração.

Até *A teoria de tudo*, no entanto, Hawking era mais bem conhecido (na telinha pelo menos) por suas aparições na comédia de animação norte-americana, *Os Simpsons*. Apareceu pela primeira vez no episódio "Eles salvaram a inteligência de Lisa", onde foi retratado como um plagiador (por roubar a ideia de Homer de um universo em forma de rosquinha), um sábio proprietário de um restaurante, um explorador em um labirinto, um rapper e como proprietário de uma cadeira de rodas carregada de luvas de boxe e hélices de helicóptero. Se for preciso mais alguma prova de que ele adorou a piada, temos o comentário irônico sobre a fama, como ele declarou espirituosamente: "[...] as pessoas acham que eu sou um personagem dos *Simpsons*".

Vieram em seguida aparições em outra série animada dos criadores de *Os Simpsons*, *Futurama*. Então, a série de comédia sensação nos Estados Unidos, *The Big Bang Theory* (baseada na vida de um grupo de cientistas que estudam e trabalham no Caltech) lhe deu uma oportunidade de mostrar seu talento em uma série, tendo como auge o momento em que ele descreve um erro de cálculo do personagem autoproclamado gênio, Sheldon Cooper, como "um fiasco". O status de comediante cult de Hawking foi reforçado por sua aparição em 2014 na reunião do Monty Python, em um espetáculo de ingressos esgotados em Londres, ao utilizar sua cadeira de rodas para atropelar colegas cientistas e o apresentador, Brian Cox.

Hawking teve a oportunidade memorável dos sonhos de qualquer fã de ficção científica clássica ao aparecer em um episódio de *Jornada nas estrelas: a nova geração*, em 1993, jogando pôquer contra Data, Isaac Newton e Albert Einstein, tornando-se a primeira pessoa a interpretar a si mesma na série. Em 2015, ele revelou ao *Wired* qual seria seu papel dos sonhos em um filme: "Meu papel ideal seria um vilão de um filme do James Bond. Acho que a cadeira de rodas e a voz computadorizada se encaixariam bem".

UM OLHAR PARA O FUTURO: É POSSÍVEL VIAJAR NO TEMPO?

"Sou obcecado pelo tempo. Se tivesse uma máquina do tempo eu visitaria Marilyn Monroe em seu auge, e espiaria Galileu quando ele virou seu telescópio para o céu. Talvez eu viajasse para o fim do universo para entender como a história cósmica termina."

Stephen Hawking, *Daily Mail*, 2010.

Será que Hawking acredita em viagem no tempo? A resposta é definitivamente confusa. "Sim. E não." Ele já declarou seu nervosismo ao falar sobre viagem no tempo em público, dada a probabilidade de o assunto não ser levado a sério e de seus defensores serem taxados de lunáticos. Como ele mesmo aponta, ainda que a viagem no tempo não seja possível, é importante que entendamos os motivos. Uma das formas de contornar o problema sugerida por Hawking é rebatizar viagem no tempo como "histórias de partículas fechadas".

Assim, qual o posicionamento dele sobre o assunto? Por um lado, ele não perde tempo com a possibilidade de humanos saltitarem a seu bel-prazer por entre os séculos. Por outro lado, acredita que a natureza do universo permite, ao menos teoricamente, saltos pelo tempo.

Para resolver a questão do "intrépido viajante do tempo", ele é profundamente cético que uma viagem no tempo tal como imaginada nos livros de ficção científica seja possível. Se fosse, ele diz, onde estariam as hordas de turistas do futuro? Considere sua declaração para os representantes do Festival de Ciência de Seattle em 2012: "Tenho evidência experimental de que a viagem no tempo não é possível. Dei uma festa para viajantes do tempo, mas só mandei os convites depois da festa. Fiquei sentado lá esperando um tempão, mas ninguém apareceu".

Se a justificativa para sua afirmação é de certa forma irônica, não é de todo infundada. Além disso, Hawking suspeita de que as leis naturais proíbam viagens para o passado, visando prevenir a ocorrência do que chamamos de paradoxos. Tomemos o exemplo clássico de paradoxo: o que aconteceria se você viajasse para o passado e matasse sua avó na juventude? Se você mata sua avó, ela não vai ter uma filha que se tornaria sua mãe e você não existiria. Logo, se você não nasceu, como você poderia voltar ao passado e reescrever a história? Um enigma mental indecifrável (na versão de Hawking, um cientista maluco volta no tempo e mata a si mesmo no passado antes de descobrir os mistérios da viagem no tempo).

Para lidar com o prospecto de paradoxos, Hawking desenvolveu a Conjectura da Proteção da Cronologia (veja a seção de mesmo nome neste capítulo). No entanto, ele é menos incrédulo da ideia de que seja possível viajar para a frente no tempo de forma acelerada. Para explicar como, devemos nos voltar para a teoria da relatividade geral de Einstein. Enquanto Sir Isaac Newton concebia o tempo em termos absolutos, Einstein argumentava que era um conceito mais maleável. O tempo é curvado e distorcido por toda matéria e energia que existem no universo. Enquanto o tempo em nível local se move para a frente, na visão de Einstein do universo ele poderia ser potencialmente distorcido para se curvar sobre si mesmo.

A maior parte da ciência moderna aceita a existência de túneis hipotéticos – comumente conhecidos como buracos de minhoca – que ligam diferentes pontos do espaço-tempo. Buracos de minhoca conectam efetivamente dois lugares e tempos distintos, de forma que, se for possível viajar por eles, cria-se um atalho para um ponto distinto da história. O único problema é, segundo Hawking, que se imagina que buracos de minhoca só existam em um nível subatômico conhecido como espuma quântica. Para acessar um buraco de minhoca, você precisaria medir não mais que um bilionésimo de trilionésimo de trilionésimo de centímetro. Nem mesmo Alice conseguiu isso no País das Maravilhas, e ela tinha uma poção encolhedora mágica.

Contudo, há uma linha de pensamento científico que postula que a tecnologia futura permitiria alargar um buraco de minhoca o suficiente para a passagem de um humano. Hawking, no entanto, duvida disso. Ele suspeita que tal processo de alargamento levaria a uma forte emissão de radiação, que cresceria tão rapidamente que o buraco de minhoca seria destruído antes de alguém poder atravessá-lo. No entanto, ele não desistiu da viagem no tempo.

Como a maior parte do trabalho de Hawking, ele acredita que a solução possível para o problema esteja nos buracos negros. Conforme elaborado pela teoria da relatividade geral de Einstein, o tempo viaja a velocidades distintas em diferentes partes do universo. Sabemos que isso é verdade ao observar os relógios de alta precisão acoplados a satélites que compõem o sistema de GPS que orbita a Terra. Esses relógios perdem uma pequena fração de segundo por dia, pois o tempo no espaço corre ligeiramente mais depressa que na Terra. Isso ocorre porque objetos pesados (como o nosso planeta), servem de peso para o tempo.

Se você está à procura de objetos pesados de verdade, não há exemplo melhor que buracos negros, ou, ainda melhor, um buraco negro supermaciço. Nós temos um no centro de nossa galáxia, a 26 mil anos-luz de distância. Ele contém a massa equivalente a quatro milhões de sóis condensados em um único ponto. Isso faz o tempo passar muito mais devagar do que estamos acostumados. Se fosse possível colocar seres humanos na órbita desse buraco negro, os que estivessem a bordo experimentariam a passagem de apenas metade do tempo em relação aos que ficaram para trás. Se a tripulação ficasse em órbita por um ano, eles retornariam a um planeta onde teriam se passado dois anos.

Contudo, viajar em tamanha proximidade a um buraco negro é um negócio arriscado, e o salto temporal alcançado seria relativamente curto. Em vez disso, Hawking sugere que nossa melhor esperança para viagens no tempo significativas seja inventar uma máquina que alcance velocidades hoje inimagináveis. A Física não permite que nada ultrapasse a velocidade da luz (cerca de 300 mil quilômetros por segundo). Isso significa que, se um objeto se aproximasse dessa velocidade, o tempo a seu redor passaria mais lentamente para garantir o limite de velocidade. Então, por exemplo, se uma nave viajasse a 99,9999 por cento da velocidade da luz e alguém a bordo estivesse correndo em velocidade suficiente para ultrapassar a velocidade da luz, o tempo a bordo os colocaria em câmera lenta. Viaje rápido o bastante, e o que pareceu apenas algumas horas na nave pode significar anos na Terra.

Alcançar tamanha velocidade dará trabalho. O foguete norte-americano *Apollo 10* é o veículo tripulado mais veloz já produzido, e precisaríamos de algo cerca de 2 mil vezes mais rápido. Tal nave precisaria viajar por cerca de seis anos para atingir a velocidade necessária. Ainda assim, de acordo com Hawking, é a nossa forma mais promissora de viagem no tempo, que nos abriria o universo de formas incríveis nunca imaginadas.

A CONJECTURA DE PROTEÇÃO DA CRONOLOGIA

> "Parece que existe uma Agência de Proteção à Cronologia, que previne o surgimento de linhas temporais curvas fechadas, tornando assim o universo seguro para historiadores."
> Stephen Hawking, *Physical Review*, 1992

Para pessoas de uma certa idade, foram Marty McFly e os filmes da série *De volta para o Futuro* que apresentaram o conceito de paradoxo da viagem no tempo. No primeiro filme da incrível trilogia, McFly se encontra no passado antes do próprio nascimento e precisa promover o encontro de seus futuros pais para garantir sua própria concepção. É um grande filme de muitas formas.

Ao longo dos anos, algumas soluções insatisfatórias para o problemático paradoxo foram propostas por cientistas e escritores de ficção científica. Pode ser possível, por exemplo, criar uma espécie de máquina de realidade virtual que replique o passado sem de fato alterá-lo? Ou poderíamos visitar algo muito parecido com o nosso passado, mas em um universo paralelo, e manter nosso próprio passado inalterado? Em ambos os cenários, visitaríamos uma versão de nosso passado que não seria real.

Reza a lenda que, quando Carl Sagan estava escrevendo seu romance de viagem no tempo, *Contato*, ele procurou Kip Thorne para sanar alguns furos no enredo referentes à viagem no tempo. Thorne ficou pensativo quanto à possibilidade de viagens no tempo por buracos de minhoca, e elucidou a questão em um artigo publicado em 1988. A mídia imediatamente o apelidou de "o homem que inventou a viagem no tempo", ainda que Thorne pessoalmente estivesse entre os que consideram a noção prática de viagem no tempo quase impossível, visto que a gravidade quântica resultaria na destruição da máquina do tempo assim que fosse colocada em ação. A conclusão disso levou à observação de Hawking que abre este capítulo.

Ainda que apoiada por ciência concreta, a Agência de Proteção da Cronologia de Hawking é uma simples conjectura, e não uma lei. Para nós, só resta palpitar se um dia alguém será capaz de testar essa hipótese.

ALERTA, O FIM ESTÁ PRÓXIMO (MAS PROVAVELMENTE NÃO TÃO PRÓXIMO)

"O desenvolvimento de uma inteligência artificial completa poderia resultar no fim da raça humana."

Stephen Hawking, em entrevista à BBC, 2014.

Dado seu status único de celebridade da Cosmologia, é inevitável que Hawking seja regularmente questionado sobre o que ele considera mais ameaçador para o nosso futuro. Infelizmente, os ramos mais sensacionalistas da mídia têm uma tendência de distorcer seus comentários a respeito do assunto em loucas previsões de um fim do mundo iminente. Hawking, não é preciso lembrar, tem visões bem mais moderadas desse tema. Apesar disso, tem feito alertas sinceros sobre os danos potenciais de permitir que nossos avanços tecnológicos tirem o melhor de nós.

Já vimos anteriormente o desgosto de Hawking por armas nucleares, sendo estas um dos caminhos possíveis para o armagedom imaginado por ele. Por exemplo, em acordo com uma grande quantidade de cientistas sérios, ele teme as mudanças climáticas, predominantemente as provocadas pelo aumento da emissão de gases e o efeito estufa, conforme aumenta a demanda de energia em nosso mundo, considerando que isso poderia acabar com nosso modo de vida. Em 2007, ele falou à imprensa em uma conferência do Boletim de Cientistas Atômicos sobre o Relógio do Juízo Final (relógio simbólico que sugere uma contagem regressiva para um potencial desastre global) estar a dois minutos de mostrar cinco para a meia-noite (hora do desastre). Ele disse:

Como cientistas, entendemos os perigos de armas nucleares e seus efeitos devastadores, e estamos aprendendo como as atividades humanas e suas tecnologias estão afetando os sistemas climáticos de formas que podem mudar para sempre a vida na Terra. Como cidadãos do mundo, temos o dever de alertar o público sobre os riscos desnecessários que vivemos todos os dias e os perigos à frente, se os governos e a sociedade não tomarem uma atitude para tornar os armamentos nucleares obsoletos e prevenir mudanças climáticas futuras [...]. Chegamos à conclusão de que estamos mudando o clima para pior. Isso teria efeitos catastróficos. Apesar de esta não ser de imediato uma ameaça tão grave quanto os armamentos nucleares, a longo prazo será uma ameaça muito mais grave.

Ele também deixou registrada sua preocupação quanto aos perigos da bioengenharia não regulamentada, campo de pesquisa que teve avanços exponenciais nos últimos anos. De fato, em 2001, ele sugeriu em entrevista ao *Daily Telegraph* que a pesquisa biológica malconduzida o preocupava mais que a aniquilação nuclear. "Armas nucleares precisam de grandes instalações", disse ele, "mas engenharia genética pode ser feita em um laboratório pequeno. Não é possível regulamentar todos os laboratórios do mundo. O perigo está em, por acidente ou projeto, criarmos um vírus que acabe por destruir a todos nós".

No entanto, a ameaça à qual ele se refere mais constantemente é a inteligência artificial (IA). Considerando que por vezes encontramos definições nebulosas sobre o que configura a IA, isso se torna passível de potenciais interpretações errôneas. O que realmente quer dizer esse termo? IA se refere à inteligência exibida por máquinas ou programas. Os que trabalham no campo visam criar máquinas capazes de aumentar a própria inteligência, ou seja, capazes de aprender e adaptar seu comportamento para se adequar a circunstâncias particulares, garantindo assim melhores resultados. Isso é, de certa forma, matéria de pesadelos da ficção científica, e traz à mente a imagem de super-robôs fora de controle se rebelando contra seus antigos mestres humanos. Podemos pensar no filme de 2004, *Eu, Robô*, como exemplo clássico da paranoia com IA. As preocupações de Hawking, no entanto, são mais sutis que o terror propagado por robôs renegados. Considere, por exemplo, sua resposta a uma pergunta apresentada na entrevista "Pergunte-me qualquer coisa", no Reddit, em 2005:

> *O risco real da IA não é a malícia, mas a competência. Uma IA superinteligente teria extrema competência para atingir seus objetivos, e se tais objetivos não forem alinhados com os nossos, teríamos problemas. Você provavelmente não é um perseguidor de formigas que pisa nelas por maldade, mas se estiver no controle de um projeto hidroelétrico de energia verde, e um vale tomado por formigas precisar ser infestado, problema das formigas. Não deixe que coloquem a humanidade no lugar das formigas. Por favor, encorajem seus alunos a pensar não apenas em como criar IA, mas também em garantir um uso benéfico disso.*

Hawking não é contra a IA, de forma alguma. Em vez disso, ele se preocupa que o desenvolvimento tecnológico esteja muito além de nossas considerações filosóficas. Como observou em sua fala na Macworld Expo em Boston, em 1994, "Penso que os vírus de computador deveriam contar como vida [...]. Acho que é significativo sobre a natureza humana que a única forma de vida que conseguimos criar seja puramente destrutiva. Nós criamos vida à nossa imagem e semelhança". Então, quanta autonomia a humanidade deve conceder às máquinas em nome do aumento da eficiência? Essas são algumas das questões éticas maiores que devemos enfrentar diante do potencial desenvolvimento de "armas autônomas" (ou "robôs assassinos", como são conhecidos em alguns meios). A alguns passos adiante dos drones armados que já estão em amplo uso, armas autônomas poderiam, por exemplo, participar da escolha e dos ataques a alvos sem a necessidade de nenhum envolvimento humano. A guerra, em outras palavras, seria conduzida por máquinas, e seria muito mais difícil atribuir culpa a algum indivíduo específico por mortes em massa causadas por alguma decisão operacional.

Ainda que haja amplo consenso hoje entre os governos de que devemos nos manter distantes de armas autônomas, é impossível afirmar que essa posição será mantida. Digamos que uma nação rebelde ou grupo militante tome posse de tal tecnologia: é difícil imaginar que outras agências não desejem fazer o mesmo para acompanhar. Em julho de 2015, Hawking esteve entre os milhares de especialistas proeminentes a assinar uma carta entregue à Vigésima Quarta Conferência Internacional de Inteligência Artificial, alertando quanto a uma corrida armamentista de IA e clamando pelo banimento de armas autônomas. Outros notáveis signatários foram o cofundador da Apple, Steve Wozniak, o CEO da Tesla Motors, Elon Musk, e o CEO da Google DeepMind, Demis Hassabis.

O problema, segundo Hawking, é que não podemos prever as reviravoltas que podem ocorrer com a IA no futuro. Especificamente, não entendemos todas as implicações de se criar uma máquina mais inteligente do que as pessoas que a fizeram. Conforme ele disse à BBC em 2014:

> *Não sabemos ao certo o que aconteceria se uma máquina excedesse a nossa inteligência; logo não sabemos se seríamos ajudados infinitamente por ela ou ignorados, abandonados ou possivelmente destruídos.*

Ao contrário dos sensacionalistas que optam por retratá-lo como um profeta do apocalipse trazido pela inteligência artificial, Hawking simplesmente pede cautela. Em vez de nos voltarmos cegamente à criação de máquinas superinteligentes, precisamos dedicar tempo a considerações de como tais equipamentos afetariam na prática a nossa vida, para o bem e para o mal, e encontrar uma forma de garantir que elas sirvam unicamente para melhorar nossa existência coletiva. Em resposta a outra pergunta sobre o assunto em entrevista de 2015 a AMA, ele disse:

Devemos alterar o objetivo na IA, de criar inteligência artificial não direcionada, para criar inteligência benéfica. Pode levar décadas para descobrirmos como fazer isso, então é melhor começarmos a pesquisar hoje, e não na véspera do lançamento da primeira IA forte.

AS CIVILIZAÇÕES AVANÇADAS ESTARIAM CONDENADAS A UMA CURTA EXISTÊNCIA?

"Não fica claro que a inteligência tenha algum valor para a sobrevivência a longo prazo."

Stephen Hawking, palestra "Life in the Universe" ("A vida no universo"), 1996.

HAWKING NOS EXORTA a considerar os perigos do que ele vê como principais ameaças à existência que a humanidade pode enfrentar. No entanto, ele também levantou a perturbadora possibilidade de que formas de vida avançadas e inteligentes (como seres humanos) tendem inerentemente à autodestruição. Quanto mais desenvolvimento tecnológico atingimos, maior o risco para a continuidade de nossa existência.

Hawking não foi sempre gentil com a nossa espécie como um todo ("Vida primitiva é algo muito comum, e vida inteligente é bastante rara. Alguns dizem que nunca surgiu na Terra", provocou ele em uma palestra de 2008 na Universidade George Washington), no entanto, reconhece a humanidade, até onde sabemos, como única no quesito inteligência. Em 1988, por exemplo, o *Der Spiegel* reportou uma forma de elogio vinda dele: "Nós somos um tipo avançado de macaco em um planeta de pouca importância ao redor de uma estrela mediana, contudo podemos entender o universo. Isso nos faz bastante especiais".

Essa nossa aparente exclusividade nesse sentido é motivo de certa preocupação. Afinal, se o desenvolvimento da inteligência fosse realmente positivo, não teríamos outras espécies inteligentes ao nosso redor? Em uma fala no Festival de Ciência de Seattle, em 2012, ele disse:

Não sabemos qual a probabilidade de um planeta desenvolver vida. Se for muito baixa, nós podemos ser a única forma de vida inteligente na galáxia. Outra possibilidade assustadora é de que a vida inteligente não seja apenas comum, mas que se autodestrua quando atinge certo patamar avançado de tecnologia. A evidência de que a vida inteligente seja curta, é que não parece que já fomos visitados por extraterrestres. Não estou considerando as alegações de que OVNIs contenham alienígenas. Por que eles apareceriam apenas para os lunáticos e os esquisitos? [...] Outra evidência de que não há vida inteligente há pelo menos algumas centenas de anos-luz de nós é que o projeto SETI (busca por vida inteligente extraterrestre) não captou sinal de nenhum programa de televisão alienígena.

Hawking argumenta há muito tempo que, para garantir o futuro a longo prazo da espécie, os seres humanos devem se preparar para se espalhar para além da Terra, e devem fazer isso o quanto antes. Em 2001, ele declarou ao *Daily Telegraph* que o planeta é simplesmente muito vulnerável para garantir a continuidade da sobrevivência, visto que a vida está sujeita à possibilidade de muitos acidentes. Suas previsões na época eram de que a raça humana precisava deixar as fronteiras da Terra dentro de um milênio. No ano de 2010, em entrevista ao site *Big Think*, ele foi ainda mais pessimista, sugerindo que teríamos uma janela de duzentos anos para colonizar o espaço a fim de não sermos extintos. Em 2015, quando participou de uma entrevista televisionada com o graduado em Física e comediante Dara Ó Briain, até mesmo suas esperanças de que conseguiríamos tal feito pareciam ter acabado. Em 2001, ele se havia declarado um otimista e proclamado, "Nós atingiremos as estrelas", mas agora afirmou: "A linhagem atual de humanos não chegará às estrelas", tendo como justificativa as enormes distâncias envolvidas e a severa exposição à radiação. Nossa única esperança, sugere ele, é sermos capazes de construir seres humanos pela engenharia genética, ou mandar máquinas para colonizar o espaço em nosso lugar.

Ele pintou um cenário bastante amargo, e talvez devamos ouvir suas palavras com cautela. Essa foi, afinal, uma entrevista de alta visibilidade, e Hawking tinha consciência de que tais posicionamentos ousados poderiam chamar bastante atenção para ele e para seus interesses. Além disso, Hawking não é mais capaz de prever o futuro do que qualquer um de nós. Suas análises do futuro da humanidade são meramente especulativas e, ao trazer os "piores cenários", ele abre um debate fundamental na esfera pública: como podemos moldar nosso futuro como espécie? Se por um lado Hawking pode ser acusado de promover pânico, até mesmo isso tem um propósito. Considere, por exemplo, a questão pública que ele postou no Yahoo Respostas em 2006: "Em um mundo em caos político, social e ambiental, como a raça humana pode se manter por um século?". "Eu não sei a resposta", esclareceu ele posteriormente. "Foi por isso que fiz a pergunta, para que as pessoas pensassem no assunto e se conscientizassem dos perigos que enfrentamos hoje."

Sua pergunta teve 25 mil respostas em poucas semanas. A sua favorita indica que ele talvez tenha mais esperança para nós do que gosta de admitir. Postada por um usuário chamado Cientista Quase-Maluco, dizia o seguinte:

> *Sem a crença de que continuaremos a crescer e a superar as dores do caos social e a amadurecer como espécie, não teríamos fé em mais nada. Não estou falando de religião [...], mas da simples crença de que sobreviveremos da mesma forma como o sol vai se levantar no dia seguinte.*

TEM ALGUÉM AÍ FORA?

> "Basta olharmos para nós mesmos para ver como a vida inteligente pode se tornar algo que não queremos encontrar."
> Stephen Hawking em *Into the Universe With Stephen Hawking*, 2010.

O argumento de que a colonização do espaço é desejável nos leva naturalmente a outra questão: devemos esperar encontrar alguém? Em termos mais amplos, Hawking acredita que a balança da probabilidade pesa em favor da existência de vida extraterrestre, mas não necessariamente vida inteligente.

Considerando que há centenas de bilhões de estrelas espalhadas por centenas de bilhões de galáxias, parece improvável e arrogante presumir que o nosso pequeno planeta seja o único a abrigar vida. Da mesma forma, visto que somos a espécie mais avançada das milhões existentes na Terra, e que cerca de metade da biomassa do planeta é constituída de organismos como bactérias, é razoável considerar que a maior parte da vida seja primitiva. Na verdade, se sua tese de que a inteligência não apenas é necessária para a sobrevivência mas talvez seja até mesmo desfavorável, podemos concluir que as formas de vida de maior sucesso não sejam avançadas.

No entanto, por falta de evidências empíricas para tal afirmação, Hawking se recusa a descartar a chance de existência de outras formas de vida avançadas em algum lugar do universo. Visto que não podemos imaginar as capacidades e as intenções dessas formas de vida, ele pede muita cautela ao tentarmos fazer contato com elas. Se existir vida inteligente, quem garante que não seriam altamente avançadas e com a intenção de escravizar a nossa espécie, tal como fizemos com outras espécies e raças em nosso próprio planeta? Em sua série de documentários *Into the Universe*, ele sugere que, se os alienígenas viessem nos visitar, o resultado seria "como a chegada de Colombo à América, que não teve um final feliz para os povos nativos". Isso ecoa sua participação muitos anos antes no programa do National Geographic, *Ciência nua e crua: contato alienígena*: "Eu acho que seria um desastre. Os extraterrestres provavelmente estariam muito mais avançados do que nós. A história do contato de raças mais avançadas com povos mais primitivos neste planeta não é muito feliz, isso sendo que eram da mesma espécie. Acho que devemos manter a cabeça baixa".

Então ficamos com um curioso paradoxo (algo longe do incomum na história de Hawking), no qual, por um lado, ele exorta a humanidade a explorar o universo; mas, por outro, sugere manter a discrição no cenário cosmológico. Então, em 2015, ele trouxe outro elemento para a discussão, ao se envolver publicamente com um projeto de 100 milhões de libras – liderado por dois parceiros de longa data, Martin Rees e Yuri Milner – dedicado a buscar outras formas de vida inteligente no universo. Ao longo de dez anos, o projeto Breaktrough Listen ("audição desbravadora"), que tem como objetivo estudar milhões das estrelas mais próximas da Terra em busca de vida, bem como escutar possíveis mensagens das cem galáxias mais próximas. Em seu lançamento, Rees disse: "É uma grande aposta, é claro, mas o resultado seria colossal".

Falando no mesmo evento, Hawking disse:

> *Para entender o universo, é preciso conhecer os átomos, as forças que os regulam, os contornos do espaço-tempo, o nascimento e morte das estrelas, a dança das galáxias, os segredos dos buracos negros, mas isso não é o bastante. Essas ideias não podem explicar tudo. Elas podem explicar a luz das estrelas, mas não as luzes que brilham no planeta Terra. Para entender essas luzes você precisa saber sobre a vida, sobre o pensamento. Acreditamos que a vida surgiu espontaneamente na Terra. Logo, em um universo infinito deve haver outras ocorrências de vida. Em algum lugar do universo pode haver vida inteligente observando as nossas luzes, cientes do que significam. De toda forma, não há questão melhor. É hora de se empenhar em encontrar a resposta sobre vida fora da Terra. Nós somos vida, somos inteligentes e precisamos saber.*

Talvez Hawking tenha concluído que seria mais útil, afinal, saber o que há lá fora, seja amigo ou inimigo, antes que eles saibam tudo sobre nós.

NUNCA PARE DE SE DESAFIAR

"Eu tive uma vida cheia e satisfatória."

STEPHEN HAWKING, *MINHA BREVE HISTÓRIA,* 2013.

Agora que Hawking se encontra em sua oitava década, boa parte dela gasta enfrentando sintomas físicos desafiadores, ele inevitavelmente reduziu seu ritmo. As questões de saúde fazem com que seu calendário de aparições públicas esteja sujeito a mudanças repentinas. Cada dia que passa representa uma conquista significativa sobre a ELA, que os médicos previram que o mataria há mais de cinquenta anos. Um fato marcante nisso tudo que deve ser observado é que Hawking ainda mantém uma vida pública. Enquanto outros de sua idade, mesmo que gozem de uma saúde de ferro, acham que é hora de se retirar, ele se mantém ativo, tanto como acadêmico quanto como embaixador da ciência.

Hawking sempre teve um espírito aventureiro e muita paixão pela vida. Por exemplo, quando era estudante, ele se viu envolvido em um esquema de contrabandear bíblias em russo para a União Soviética. Quando as autoridades descobriram a operação, o jovem Hawking foi detido por horas antes de ser solto. Ao revisitar a experiência, sua lembrança empolgante parece trazer riso. O desejo de experimentar, mesmo quando não pareça confortável, permanece com ele até os dias de hoje.

Apesar dos obstáculos impostos por sua deficiência, ele viajou para todos os continentes. Mesmo com a idade avançada, ele seguiu visitando regularmente instituições de pesquisa na Europa e América do Norte. Em 1997, ele empreendeu viagem à Antártida, aventura que ele nomeia como "sua lembrança favorita". O propósito dessa visita foi uma conferência de alto padrão para físicos do mundo inteiro. Hawking foi levado de avião pela Força Aérea Chilena para a base na Isla Rey Jorge, na Península Antártica. De lá, foi transportado por um veículo de neve, forma de transporte considerada por ele bem mais agradável do que sua cadeira de rodas, modificado para a ocasião com correntes para neve. É fácil ver como esses momentos de fuga apelam para o senso de diversão de Hawking.

A viagem para a Antártida e o voo em gravidade zero mencionado anteriormente são apenas duas aventuras de uma vida pontuada por testes bastante desafiadores, seja do intelecto, da energia, coragem ou determinação. Hawking nunca ficou na vontade. Considere, por exemplo, sua insistência em visitar um magnifico laboratório de neutrinos localizado a dois quilômetros e meio abaixo da superfície, próximo a Sudbury, Ontário, no Canadá. Para acessar essa instalação, ele viajou em um elevador especial que vai para debaixo da terra. O entusiasmo do observatório em receber o icônico cientista foi apenas igualado pelo entusiasmo do próprio Hawking em ver tal trabalho revolucionário em primeira mão.

UM PASSO MAIS PERTO DO ESPAÇO?

Em 2007, Hawking novamente contrariou as opiniões médicas ao fazer um voo em gravidade zero em um Boeing 727 especialmente modificado. A experiência, que simula a sensação de voar no espaço, pode causar efeitos colaterais desagradáveis nos passageiros, o que levou a aeronave a ser conhecida como "Cometa do Vômito". No entanto, as imagens de Hawking flutuando livremente, liberto de sua cadeira de rodas, permanecem em nossas mentes. Após um voo de duas horas, que proporcionou oito sessões de ausência de peso de 25 segundos cada (em vez das três previstas, para o entusiasmo de Hawking), ele disse, "Foi incrível. As partes de gravidade zero foram maravilhosas e as de alta gravidade não foram um problema. Eu poderia ter continuado. Espaço, aí vou eu!". Essas palavras não foram em vão, pois Hawking tem uma reserva para o voo suborbital no projeto de Richard Branson, Virgin Galactic. Se os seus problemas de saúde serão um impeditivo para isso não se sabe, mas podemos ter certeza de que Hawking não vai desistir de seu sonho sem lutar.

Enquanto isso, durante o processo de escrita deste livro, Hawking se manteve às vistas do público. Sendo alguém com um dom quando se trata de envolver o público na promoção da ciência, ele fez aparições grandiosas na televisão, sujeitou-se a interrogatórios na internet de acesso público e conduziu incontáveis entrevistas na mídia tradicional. Em agosto de 2015, ele foi parar nas manchetes, quando, em uma palestra na Conferência de Estocolmo sobre radiação Hawking, na Suécia, ele afirmou que "os buracos negros não são as prisões eternas que imaginávamos antes. As coisas podem sair de um buraco negro e possivelmente irem parar em outro universo".

Nessa palestra, Hawking abriu a brecha para seu futuro artigo, desenvolvido em parceria com Malcom Perry e Andrew Strominger, em que ele sugere ter resolvido conclusivamente o paradoxo da informação. Embora as informações divulgadas animadamente na mídia de que ele teria "descoberto uma forma de escapar de um buraco negro" sejam um tanto exageradas, e alguns especialistas sugerem que alguns elementos de sua fala nem chegam a ser novidade, fica novamente evidenciada a habilidade inigualável de Hawking em fazer avanços e trazer o interesse popular para as áreas mais esotéricas. Sua posição única entre os cientistas foi novamente enfatizada em 2016, quando ele se tornou a referência para comentar o anúncio de que as ondas gravitacionais, originalmente postuladas por Einstein um século antes, haviam sido detectadas pela primeira vez.

A carreira de Hawking decolou nos anos 1960, enquanto ele trabalhava sob a impressão de que sua vida seria bem curta. Nas décadas seguintes, sua luta contra a ELA veio a grandes custos físicos e emocionais para ele, mas Hawking ainda assim aproveitou o tempo extra que lhe foi concedido para explorar as oportunidades que apareceram em seu caminho, mirando eternamente no próximo objetivo.

HAWKING E DEUS

"Há uma diferença fundamental entre a religião, que é baseada na autoridade, e a ciência, que é baseada na observação e na razão. A ciência vence, pois funciona."

Stephen Hawking em entrevista a Diane Sawyer, 2010.

Sem dúvida, a frase mais famosa já escrita por Hawking é a que conclui *Uma breve história do tempo*. Ao se referir à "teoria de tudo", ele diz: "se pudermos encontrar uma resposta para isso, seria o triunfo definitivo da razão humana, e assim conheceríamos a mente de Deus". Ainda que memoráveis e evocativas, essas palavras contêm uma autocontradição. Na concepção de Hawking do universo, ele não vê uma necessidade inerente na existência de Deus.

Essa é necessariamente uma posição controversa, que tem decepcionado os que têm fé, tanto quanto consolado os incrédulos, ao longo dos anos. De fato, Hawking endureceu seu posicionamento com o passar do tempo. Enquanto, no passado, ele dizia simplesmente que o universo podia existir independentemente dos comandos de um deus, ele não negava, em específico, a existência de uma divindade. Recentemente, no entanto, ele declarou abertamente seu ateísmo pessoal.

Em comparação, vamos considerar alguns de seus comentários feitos sobre religião no passado de sua carreira. Por exemplo, em *Uma breve história do tempo*, ele escreveu: "A história da ciência inteira tem sido a percepção gradual de que os eventos não ocorrem de forma arbitrária, mas refletem certa ordem subjacente, que pode ou não ter sido divinamente inspirada". Em entrevista ao *Der Spiegel* em 1988, ele discutiu o assunto:

O que eu tenho feito é mostrar que é possível, pela forma com que o universo começou, este ser determinado pelas leis da ciência. Nesse caso, não precisaríamos apelar necessariamente para a decisão de Deus sobre o começo do universo. Isso não prova que Deus não existe, apenas que ele não é necessário.

Em 2007, ele manteve sua posição relativamente moderada, segundo a qual lança dúvidas sobre a noção de um deus criador onipotente, sem descartar de todo a própria noção de Deus. Como citado no *New Statesman*: "Não sou religioso no sentido normal. Acredito que o universo seja governado pelas leis da ciência. Essas leis podem ter sido decretadas por Deus, mas ele não pode intervir para quebrá-las".

Tais comentários permitiram a Hawking adotar uma posição relativa à religião reminiscente daquela tomada por Einstein. Ele desposou uma doutrina panteísta na qual o universo é visto como uma manifestação física do divino. Ao descrever esse sistema de crenças, Einstein escreveu certa vez: "Eu não posso conceber um deus pessoal que influencie diretamente as ações dos indivíduos ou faça julgamento sobre as criaturas de sua própria criação [...]. Minha religiosidade consiste em uma humilde admiração do espírito infinitamente superior que se revela no pouco que podemos compreender sobre o mundo conhecido". Notoriamente, ele também condenou aqueles que defendiam com agressividade o ateísmo, descrevendo-os como "criaturas que não podem ouvir a música das esferas".

Conforme Hawking envelheceu, ele divergiu significativamente dessa linha de pensamento de Einstein. Por exemplo, ao apresentar um episódio intitulado "Deus criou o universo?", em 2011, da série *Curiosidades*, da Discovery Channel, Hawking argumentou: "Nós somos todos livres para acreditar no que quisermos e, na minha visão, a explicação mais simples é que Deus não existe. Ninguém criou o universo e ninguém comanda o nosso destino. Isso me levou a uma profunda percepção. Provavelmente não existe paraíso nem vida após a morte".

Enquanto Einstein nunca conseguiu descartar a ideia de uma ordem divina superior ordenando o universo, Hawking parece ter se convencido, pelo peso das evidências científicas, de que Deus não é visível nos trabalhos do universo. Como afirmou em *O grande projeto*:

> *Porque há uma lei como a da gravidade, o universo pode e vai se criar do nada. A criação espontânea é a razão pela qual há algo além do nada, porque o universo existe, porque nós existimos. Não é necessário invocar Deus para sacudir as coisas e colocar o universo em funcionamento.*

Deus, então, se torna um construto da imaginação humana e, do ponto de vista de Hawking, vai contra a lógica. Serve assim para oferecer consolo aos que buscam ordem em seus mundos pessoais desordenados. Como ele disse à BBC em 1990: "Somos criaturas insignificantes, em um planeta menor de uma estrela bem mediana, nos subúrbios de uma dentre centenas de milhares de galáxias. É difícil de acreditar, portanto, que exista um Deus que se importe conosco ou mesmo que perceba a nossa existência".

Tendo enfrentado a perspectiva da morte na juventude, Hawking teve bastante tempo para contemplar a possibilidade de uma vida após a morte. Sua conclusão, como ele disse para Dara Ó Briain em 2015, é que isso não passa de "um conto de fadas para pessoas com medo do escuro", o que reitera o sentimento expressado em entrevista ao *The Guardian* quatro anos antes, quando ele declarou:

> *Eu tenho vivido na perspectiva de uma morte prematura há pelo mens quarenta e nove anos. Eu não tenho medo da morte, mas não tenho pressa de morrer. Há muita coisa que quero fazer antes [...]. Eu considero o cérebro um computador, que vai parar de funcionar quando seus componentes falharem. Não existe paraíso ou vida após a morte para computadores quebrados...*

O ceticismo de Hawking quanto à religião veio com um custo pessoal ao longo dos anos. Em particular, foi fonte de atrito em seu casamento com Jane, que professa a fé cristã. Em seu livro, *A teoria de tudo*, ela escreveu:

> *A rixa danosa entre religião e ciência parece ter se estendido também para nossas vidas: Stephen era assertivo em seus posicionamentos positivistas, os quais me pareciam muito deprimentes e limitantes para minha visão de mundo, pois eu precisava ardentemente acreditar que havia algo mais na vida além das cruas leis da Física e a batalha diária pela sobrevivência.*

Em um momento mais ácido, ela descreveu seu papel principal no casamento como sendo "simplesmente lembrá-lo de que ele não é deus!".

Hawking inevitavelmente se encontrou em rota de colisão com as igrejas estabelecidas, mais notavelmente a Igreja Católica Apostólica Romana. Ele se lembra, por exemplo, de uma conferência no Vaticano sobre Cosmologia durante o papado de João Paulo II. Em um artigo sobre Galileu em 2009, Hawking descreveu como o papa tinha dado permissão para "estudar o começo e origem do universo", mas alertou os representantes de que eles "não deveriam se perguntar sobre o início propriamente dito, pois esse era o momento da Criação e o trabalho de Deus". "Eu fiquei contente que ele não tenha percebido que eu havia apresentado um artigo na conferência sugerindo como o universo começou", disse Hawking. "Eu não gostava da ideia de ser entregue à Inquisição, como Galileu."

A questão sobre a existência ou não de Deus permanecerá enquanto houver humanos para debater. Nem mesmo uma mente brilhante como a de Hawking pode garantir alguma certeza. Enquanto ele claramente acredita que as evidências científicas pesem seriamente contra a noção de uma deidade, não há prova empírica que diga que ele está certo. A fé, afinal, é por definição a expressão de uma crença. Se por um lado Hawking nos trouxe mais perto que qualquer um de entender como nosso universo veio a existir, o porquê (se é que há uma razão) permanece tão misterioso quanto sempre. Em seu trabalho de 1999, *Alien Dawn*, o autor e filósofo Colin Wilson resumiu o assunto assim:

> *Eu experimento... uma sensação de absurdo quando ouço um cosmólogo como Stephen Hawking nos dizer que o universo começou com uma grande explosão quinze bilhões de anos atrás, que a Física vai criar em breve a "teoria de tudo" capaz de responder a todas as questões possíveis sobre o nosso universo, e que isso apoia a hipótese de que Deus é desnecessário. Então eu penso no dia em que percebi de súbito que eu não sabia onde acabava o espaço, e se tornou óbvio que Hawking também estava enterrando a cabeça na areia. Deus pode ser uma hipótese desnecessária até onde eu sei, e não faço objeções a Hawking descartá-lo, mas até que possamos entender o porquê da existência ao invés da não existência, não temos direito de fazer tais declarações. Não é científico.*

No começo do século XVII, Francis Bacon afirmou em *Da proficiência e o avanço do conhecimento divino e humano* que "[...] se algum homem pensa, em seus questionamentos sobre as coisas materiais, que descobrirá a natureza ou a vontade de Deus, ele foi estragado pela vã filosofia". Talvez seja melhor deixar para Jane Hawking, entrevistada pelo *Daily Telegraph* em 2015, resumir a complicada questão do posicionamento de seu ex-marido sobre a crença religiosa:

> *Stephen fez bastante questão de que eu palpitasse se ele era agnóstico ou ateu, mas eu gostava de enrolá-lo. Lembro que certa vez perguntei como ele sabia em qual teoria trabalhar e ele respondeu: "Bem, você precisa ter de fé de que vai escolher a que você acha que vai ser mais produtiva". E eu disse: "É mesmo? Achei que a fé não fazia parte da Física".*

O LEGADO DE HAWKING

"Hawking age como uma grande força contra os movimentos anti--intelectuais. Ele pega princípios científicos complexos e os explica tão bem que o público geral consegue entender e, mais importante, apreciar a ciência por trás disso."

Michael Venables, *Ars Technica*, 2012.

Então, como Hawking espera ser lembrado? Será que ele vai ser considerado um membro digno do panteão dos grandes ou será visto como um cientista célebre extraordinário? A verdadeira natureza de seu legado provavelmente permanecerá incerta nas décadas, ou talvez séculos, por vir. Só quando suas teorias forem comprovadas ou descartadas por testes empíricos é que seu destino será decidido, e nossa capacidade de realizar tais testes ainda está bem distante.

Apesar disso, podemos dizer com alguma confiança que ele está entre os melhores cientistas teóricos de sua era, ainda que seja muito difícil dizer se ele é o melhor deles e o sucessor natural de figuras como Newton e Einstein. Certamente, há alguns defensores de muito peso, que garantem que ele merece ser elevado ao mais alto patamar. Um membro proeminente desse grupo é Kip Thorne, que considera Hawking "junto com Einstein, o melhor de nosso campo".

A ordem social estabelecida certamente reconheceu bem cedo seus talentos extraordinários, uma guinada irônica, considerando as tendências de Hawking opostas a tal ordem. Ele foi aceito na Real Sociedade em 1974, na linguagem sóbria da instituição:

[por suas] grandes contribuições ao campo da relatividade geral. Isso vem de uma profunda compreensão do que é relevante para a Física e para a Astronomia, e especialmente de seu domínio de técnicas matemáticas completamente novas. Seguindo o trabalho pioneiro de Penrose, ele desenvolveu, em partes sozinho e em conjunto com o próprio Penrose, uma série de teoremas sucessivamente mais sólidos, que estabelecem o resultado fundamental de que os modelos cosmológicos realistas precisam de singularidades. Ao fazer uso de técnicas similares, Hawking provou os teoremas e as leis básicas que governam os buracos negros; que as soluções estacionárias das equações de Einstein com horizontes de eventos lisos precisam necessariamente ser axissimétricas; e que na evolução e interação de buracos negros, a superfície total da era do horizonte de eventos deve aumentar [...].

Outras incontáveis honrarias oficiais vieram em seguida, incluindo a Ordem do Império Britânico no Reino Unido e a Medalha da Liberdade nos EUA. Enquanto isso, outro montante de graus honorários e muitos prédios acadêmicos nomeados em sua homenagem atestam a alta estima que seus contemporâneos acadêmicos têm por ele. Também houve rumores de que ele teria recusado uma ordem de cavalaria do governo britânico nos anos 1990, como resposta a sua insatisfação com a política de financiamento científico nacional.

Também há os reclamões, que alegam que o sucesso sem precedentes de *Uma breve história do tempo* foi um fenômeno independente. Seus críticos sugerem que ele foi elevado de seu lugar devido entre o mar de bons acadêmicos da ativa para ser transformado em uma espécie de oráculo de todos os temas científicos. Considere, por exemplo, as afirmações do escritor científico Philip Ball, que escreveu um artigo para a *Prospect Magazine* em 2010 intitulado "A ilusão Hawking":

A maioria das pessoas ficaria surpresa em ouvir que Hawking não é considerado por seus pares nem mesmo um dos dez melhores físicos

> *do século XX, que dirá de todos os tempos... Hawking é extremamente esperto, mas como ele há outros, e está muito longe de ser o sucessor de Einstein. Mais importante, Hawking não tem nenhuma reputação entre os cientistas como grande pensador. Não há nada de especialmente profundo no que ele disse até hoje sobre as implicações sociais e filosóficas da ciência em geral e da Cosmologia em particular.*

Mesmo entre os que argumentam que Hawking não é um lendário gênio, há dificuldade em nomear alguém que tenha feito mais pelo envolvimento público com a ciência do que ele. Judy Bachrach escreveu na *Vanity Fair* em 2004, alegando que seu "dom de personalizar o infinito foi a fonte de seu sucesso". Um ano depois, Hawking falou ao *Guardian* sobre a importância da comunicação. "Eu penso que é muito importante para os cientistas explicar o seu trabalho, particularmente na Cosmologia", ele disse. "Ela responde hoje a muitos questionamentos outrora das religiões."

Sua habilidade inata de trazer a ciência mais inacessível ao alcance de leigos era evidente desde cedo. Jane Hawking foi a primeira a registrar isso, como ela conta ao *Daily Telegraph*:

> *[...] a inteligência de Stephen me fascinava. Eu não era uma matemática e não entendia nada de Física, e mesmo assim ele me explicava as coisas. Nós olhávamos para o céu juntos à noite, e ainda que Stephen não fosse muito bom em detectar as constelações, ele me falava sobre a expansão do universo, e a possibilidade de voltar a se contrair, e descrevia como uma estrela colapsava sobre si mesma para formar um buraco negro de uma forma que era bem fácil de entender.*

Antes de Hawking, Carl Sagan era, sem dúvida, o maior responsável pela popularização da ciência no século XX. Ainda assim Hawking o superou, e deu ímpeto a uma nova geração de comunicadores científicos. Um dos mais preeminentes dessa nova geração é o professor Brian Cox, uma celebridade menor e atualmente um físico à disposição das produtoras de televisão que planejam fazer programas científicos sérios. Ele admite abertamente a dívida com Hawking, ao declarar em 2012: "Em termos de popularizar a Física, eu não faria o que faço hoje se não fosse por ele". Então qual você acha que é o segredo de Hawking? "Ele [...] percebe que o nosso trabalho não é simplesmente 'fazer' Física, mas explicá-la, e isso é algo que fascina as pessoas".

Hawking é inigualável entre os cientistas mais famosos do mundo. Enquanto reconhecemos que há dúvidas sobre a natureza de suas contribuições a longo prazo no desenvolvimento da Física Teórica, apenas os mais tolos sugerem que ele seja algo diferente de um personagem da maior importância, ao longo de várias décadas na era de ouro da Cosmologia. Martin Rees, que não costuma fazer afirmações extravagantes, o considerou em 2012 "um dos dez maiores físicos teóricos vivos". Enquanto isso, Kip Thorne disse à revista *Wired* em 2015: "Ele foi pioneiro em áreas completamente novas da Física. Houve certas conjunturas em sua carreira que permitiram que ele fizesse grandes avanços, e todos os outros se debateram para se manter a par disso ou mesmo compreender".

Talvez a última palavra sobre o assunto deva ser deixada ao próprio Hawking. Como ele vê sua própria contribuição? "Foi uma era gloriosa para se estar vivo e fazer pesquisa em Física Teórica. Fico feliz se tiver adicionado algo ao nosso entendimento do universo."

BIBLIOGRAFIA SELECIONADA

BOSLOUGH, John. *Stephen Hawking's Universe*. William Morrow, 1985.

COX, Brian; FORSHAW, Jeff. *O universo quântico: tudo que pode realmente acontecer*. Curitiba: Fundamento, 2016. [Ed. original: *The Quantum Universe: Everything That Can Happen Does Happen*. Nova York: Penguin, 2012.]

FERGUSON, Kitty. *Stephen Hawking: His Life and Work*, Nova York Bantam Books, 2011.

FILKIN, David. *Stephen Hawking's Universe*, Nova York: BBC Books, 1997.

GIBBIN, John; WHITE, Michael. *Stephen Hawking: uma vida para a ciência*. Rio de Janeiro: Record, 2005. [Ed. original: *Hawking: A Life in Science*. Nova York: Plume, 1992.]

HAWKING, Jane. *A teoria de tudo*. São Paulo: Única, 2014. [Ed. original: *Travelling to Infinity: My Life With Stephen*. Richmond: Alma Books, 2007.]

HAWKING, Stephen. *Uma breve história do tempo*. Rio de Janeiro: Intrínseca, 2015. [Ed. original: *A Brief History of Time*. Nova York: Bantam Books, 1988.]

HAWKING, Stephen. *Buracos negros, universos-bebês e outros ensaios*. Rio de Janeiro: Rocco, 1995. [Ed. original: *Black Holes and Baby Universes and Other Essays*. Nova York: Bantam Books, 1993.]

HAWKING, Stephen. *O universo numa casca de noz*. Rio de Janeiro. Intrínseca, 2016. [Ed. original: *The Universe in a Nutshell.* Nova York: Bantam Books, 2001.]
HAWKING, Stephen. *Os gênios da ciência: sobre os ombros de gigantes*. Rio de Janeiro: Campus, 2004. [Ed. original: *On the Shoulders of Giants: The Great Works of Physics and Astronom*. Nova York: Running Press, 2002.]
HAWKING, Stephen. *God Created the Integers: The Mathematical Breakthroughs That Changed History*. Filadélfia: Running Press, 2005.
HAWKING, Stephen. *Minha breve história*. Rio de Janeiro: Intrínseca, 2013. [Ed. original: *My Brief History*. Nova York: Bantam Books, 2013.]
HAWKING, Stephen; ELLIS, George. *The Large Scale Structure of Space-Time*. Cambridge: Cambridge University Press, 1973.
HAWKING, Stephen; HAWKING, Lucy. *George e o segredo do universo*. Rio de Janeiro: Ediouro, 2007. [Ed. original: *George's Secret Key to the Universe*. Londres: Corgi Childrens, 2008.]
HAWKING, Stephen; HAWKING, Lucy. *George e a caça ao tesouro cósmico*. Rio de Janeiro: Ediouro, 2010. [Ed. original: *George's Cosmic Treasure Hunt*. Londres: Corgi Childrens, 2010.]
HAWKING, Stephen; HAWKING, Lucy. *George and the Big Bang*. Londres: Corgi Childrens, 2012.
HAWKING, Stephen; HAWKING, Lucy. *George and the Unbreakable Code*. Londres: Corgi Childrens, 2015.
HAWKING, Stephen; MLODINOW, Leonard. *Uma nova história do tempo*. Rio de Janeiro: Ediouro, 2005. [Ed. original: *A Briefer History of Time*. Nova York: Bantam Books, 2005].
HAWKING, Stephen; MLODINOW, Leonard. *O grande projeto*. Rio de Janeiro: Nova Fronteira, 2011. [Ed. original: *The Grand Design*. Nova York: Bantam Books, 2010.]
HAWKING, Stephen; PENROSE, Roger. *A natureza do espaço e do tempo*. Campinas: Papirus, 1997. [Ed. original: *The Nature of Space and Time*. Nova York: Princeton University Press, 1996.]
KRAUSS, Lawrence M. *A Física de Jornada nas Estrelas – Star Trek*. São

Paulo: Makron Books, 1996. [Ed. original: *The Physics of Star Trek*. Nova York: Harper Collins, 1996.]
SUSSKIND, Leonard. *The Black Hole War: My Battle With Stephen Hawking to Make the World Safe for Quantum Mechanics*. Nova York: Back Bay Books, 2009.
THORNE, K. S. *Black Holes and Time Warps*. Nova York: W. W. Norton & Co., 1994.